CLAUDE MONET

Karin Sagner-Düchting

CLAUDE MONET

1840–1926

Une fête pour les yeux

Benedikt Taschen

COUVERTURE:
Nymphéas, jadis Agapanthus, 1916–26
(Détail)
Huile sur toile, 200 x 425 cm
W. IV. 1976
Saint Louis, The Saint Louis Art Museum

FRONTISPICE:
Un Coin d'appartement, 1875
Huile sur toile, 80 x 60 cm
W. I. 365
Paris, Musée d'Orsay

Rédaction et production: Brigitte Hilmer, Cologne
Couverture: Peter Feierabend, Berlin
Traduction française: Marie-Anne Trémeau-Böhm
Dates biographiques: Odo Walther, Dießen am Ammersee
Documents illustrés: Frigga Finkentey, Cologne
Reproductions en couleur: ReproColor, Bocholt
Reproductions en noir et blanc: ReproService Werner Pees, Essen
Fabrication: Neue Stalling, Oldenburg
Printed in West Germany
ISBN 3-8228-0517-3

Table des matières

Claude Monet, 1901
Photographie de Gaspar Félix Nadar

Préface

Quand les peintres impressionnistes firent leur première apparition en public dans des expositions collectives vers 1870, on découvrit un nouveau type de tableau. Leurs toiles étaient effectivement de petit format, librement composées, peintes spontanément et reproduisaient des scènes de la vie quotidienne. Cette nouvelle manière de peindre des impressionnistes semblait trop sentimentale à cette époque et, comme elle abandonnait quelques principes de la peinture traditionnelle, on eût dit qu'elle était tout simplement l'antithèse de l'art contemporain. Dès le tournant du siècle, cette forme de peinture s'était néanmoins établie, montrant le chemin, et les premiers impressionnistes étaient désormais des artistes considérés et prospères.

Aujourd'hui, l'idée que nous nous faisons de la peinture de paysage et notre perception du monde environnant sont aussi fortement marquées par une vue impressionniste des choses que nous acceptons comme étant naturelle et directe, sans en chercher les raisons. Plus que tout autre artiste, Claude Monet fut le représentant de cette nouvelle forme de peinture. Ses vues d'Argenteuil, par exemple, équivalent souvent aux habituelles représentations impressionnistes. Et pourtant, ces travaux ne représentent que l'une des multiples facettes de son œuvre. Au cours de sa carrière picturale qui porte sur une soixantaine d'années, il a en effet poursuivi son but avec une originalité qui cherche sa pareille. «J'ai toujours eu une aversion pour les théories», déclara Monet en 1926.

Dans ce sens, une série d'expériences le conduisit à un incroyable éventail de possibilités d'expression lui permettant de rendre ses expériences de la nature. C'est en grande partie par la confrontation avec les questions essentielles de la peinture de paysage que Monet est parvenu, au cours de sa vie de peintre, à une solution géniale: rendre vivantes sur la toile l'atmosphère, les formes et les forces de la nature, en quelque sorte à partir de l'expérience des choses, de la couleur et de la touche. Il a suivi des voies toujours plus indépendantes qui ont fait de lui, dans son œuvre tardive, un remarquable précurseur de l'art moderne.

DENREES
Claude Monet

Jeunesse et débuts picturaux

Oscar Claude Monet est né au n° 45, rue Laffitte à Paris, le 14 novembre 1840 en tant que second fils de l'épicier Claude Adolphe Monet et de son épouse Louise Justine Aubrée. A cette époque, la France qui était gouvernée par le Roi-Citoyen Louis-Philippe (1773–1850), se trouvait dans une phase de stabilité économique et politique relative. Son règne appelé Monarchie de Juillet dura de 1830 à 1848 et engendra, surtout au cours de la première décennie, de brillantes prestations de l'art français reflétant les tendances libérales de l'époque. Honoré de Balzac et Victor Hugo étaient alors des écrivains réputés. Vu l'influence croissante de la bourgeoisie, le goût de cette couche de population était de plus en plus déterminant dans le domaine de l'art, ce qui devait se répercuter dans la peinture de paysage de l'Ecole de 1830.

Mais c'est également le siècle qui vit naître presque tous les peintres qui comptèrent plus tard au nombre des impressionnistes. En effet, Camille Pissarro est né en 1830, Edouard Manet en 1832, Edgar Degas en 1834, Paul Cézanne et Alfred Sisley en 1839, Pierre-Auguste Renoir en 1841. Comme une grave crise économique se dessinait depuis le milieu des années 40, les affaires du père de Monet ne marchaient apparemment plus aussi bien à Paris. La famille décida donc d'aller s'installer au Havre, ville située sur la côte normande où le beau-frère, Jules Lecadre, possédait une entreprise florissante de commerce en gros à laquelle le père de Monet put s'associer. Les conditions étaient bonnes pour prendre un nouveau départ. Les Lecadre étaient considérés sur place et ils étaient aisés. Outre une grande maison en ville, ils possédaient entre autres une résidence d'été non loin de la station balnéaire de Sainte-Adresse. Monet déclara plus tard que son enfance au Havre, où la Seine se jette dans l'Atlantique, avait posé la première pierre pour les étapes de sa vie: «La Seine. Je l'ai peinte toute ma vie, à toute heure, à toute saison, de Paris à la mer . . . Argenteuil, Poissy, Vétheuil, Giverny, Rouen, Le Havre . . .»

Monet grandit dans une atmosphère où l'on pensait commercialement; seule sa mère Louise était sensible aux arts. Sa mort prématurée en 1857 signifia une profonde coupure pour le jeune Monet qui avait alors 17 ans. Son sens artistique ne trouvait un écho que

Bord de Rivière, 1856
Dessin au crayon, 39 x 29 cm
Paris, Musée Marmottan

La Route de la Bavolle à Honfleur, 1864
Huile sur toile, 58 x 63 cm
W.I. 34
Mannheim, Städtische Kunsthalle Mannheim

L'Ecrivain Jules Francois Félix Husson, dit Champfleury, d'après Nadar, env. 1858
Dessin au crayon, avec rehauts de gouache, 32 x 24 cm
Paris, Musée Marmottan

Jules de Prémaray (Rédacteur en chef de «La Patrie»), d'après Nadar, env. 1858
Dessin au crayon, 32 x 24 cm
Paris, Musée Marmottan

L'Auteur dramatique Louis François Nicolaie, dit Clairville, d'après Nadar, env. 1858
Dessin au crayon, 32 x 24 cm
Paris, Musée Marmottan

chez sa tante Marie-Jeanne Lecadre qui s'occupait désormais de lui, une aide qui se renforça encore en 1858, après la mort du mari de cette dernière. Par la suite, Monet continua à correspondre intensément avec elle, lui demandant conseil au sujet de problèmes artistiques. Madame Lecadre entretenait non seulement des relations avec le peintre parisien Armand Gautier, mais avait aussi son propre atelier où elle peignait pour son plaisir et où Monet était le bienvenu.

Les relations de Monet et de son père se détériorèrent de plus en plus, surtout lorsqu'il décida de quitter le lycée en 1857, peu avant la fin de ses études. Il reçut ses premiers cours de dessin de François-Charles Ochard, un ancien élève de Jacques-Louis David, qui représentait le goût artistique de l'époque. Ces cours ne semblent toutefois pas avoir exercé une influence déterminante sur Monet. Effectivement, le souvenir qu'il garde de cette époque se rapporte seulement à des dessins et caricatures drôles représentant entre autres ses maîtres et avec lesquels il remplissait ses cahiers d'écolier: «(Je) décorais le papier bleu de mes cahiers de dessins ultra-fantaisistes et représentais de la façon la plus irrévérencieuse, en la déformant le plus possible, la face ou le profil de mes maîtres . . . J'y acquis bientôt une certaine aisance. A quinze ans, j'étais connu de tout le Havre comme caricaturiste . . . Je me fis payer mes portraits. Je demandai dix ou vingt francs par portrait . . . Si j'avais continué, je serais aujourd'hui millionnaire.»

Les caricatures que Monet fit des bourgeois du Havre et avec lesquelles il gagna presque 2000 francs en peu de temps lui valurent une relative célébrité locale. Sur ces quelque 800 feuilles, seules quelques-unes (repr. p. 10) ont été conservées. Gravier, qui était marchand de couleurs, exposait les caricatures de Monet dans sa vitrine. Bien que Monet, qui produisait beaucoup, se référât également à des modèles tirés de journaux contemporains comme le «Journal amusant», qu'il copia même pendant un moment, ses dessins attiraient néanmoins l'attention. Eugène Boudin, un peintre

Eugène Boudin
La plage de Trouville, 1864
Huile sur bois, 26 x 48 cm
Paris, Musée d'Orsay

de paysages et de marines non conventionnel qui séjourna au Havre au début de l'année 1858, les remarqua. Les simples et paisibles représentations de la nature de Boudin, qui étaient créées sur le motif en plein air, ne correspondaient en aucune manière au goût de l'époque. Et c'est ainsi que Monet trouva tout d'abord exécrables les marines exposées par Boudin chez Gravier. Tous deux firent néanmoins connaissance. Boudin apprécia les dessins de Monet, lui dit qu'il avait du talent, mais qu'il ne devait pas en rester là. Le charme était rompu. A partir de ce moment, Boudin emmena le jeune homme lorsqu'il allait peindre dans les environs. Il parvint à convaincre Monet que les choses peintes directement devant la nature étaient plus vivantes que celles qui étaient créées dans l'atelier.

La méthode consistant à peindre à l'huile en plein air était encore relativement récente; elle n'était devenue possible que dans les années 40 avec l'apparition des tubes de couleurs à l'huile transportables. Boudin pensait que c'était la seule possibilité de retenir la première impression car «tout ce qui est réalisé directement sur place possède une force, une intensité et une vivacité impossibles à recréer dans l'atelier». A partir de là, la confrontation avec ces idées et avec la thématique du paysage demeura essentielle pour Monet. Pendant l'été 1858, il exécuta aux côtés de Boudin deux paysages que l'on put voir dans une exposition au Havre et qui ont malheureusement disparu aujourd'hui. Monet accompagna également Boudin à Honfleur où ce dernier lui apprit à traiter et à observer les tons, la perspective et la lumière. Plus tard, Monet attribua sa décision de devenir peintre à cette rencontre avec Boudin auquel il resta étroitement lié toute sa vie durant: «Si je suis peintre, c'est à Boudin que je le dois. Dans son infinie bonté, Boudin commença à me prodiguer ses leçons. Mes yeux à la longue s'ouvrirent et je compris vraiment la nature, j'appris en même temps à l'aimer. Je l'analysai dans ses formes, je l'étudiai dans ses couleurs. Six mois

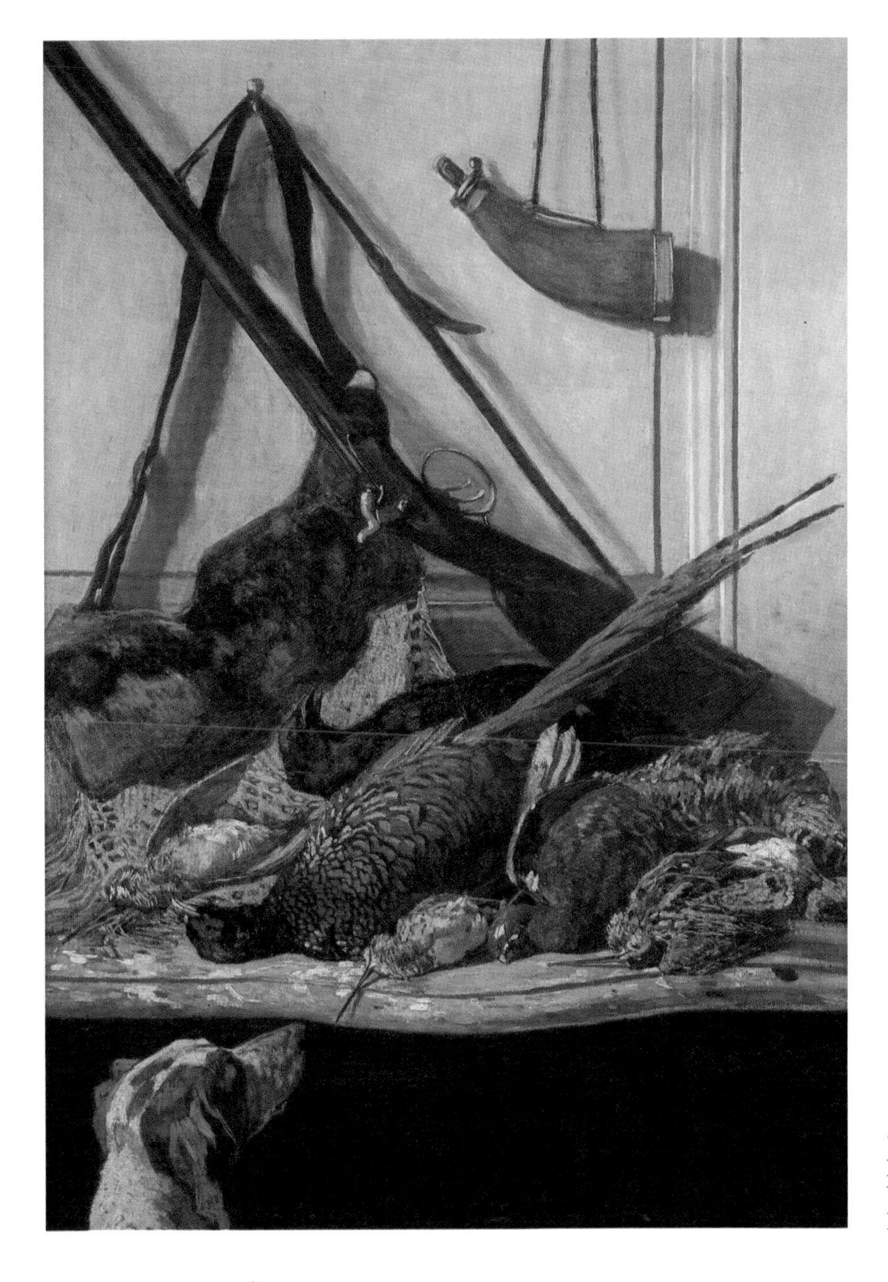

Trophées de chasse, 1862
Huile sur toile, 104 x 75 cm
W.I. 10
Paris, Musée d'Orsay

plus tard, j'expliquais à mon père que je voulais devenir peintre et me rendais à Paris pour y étudier la peinture.»

Monet voulait donc devenir peintre. C'était une idée avec laquelle son père eut du mal à se familiariser, et seulement sur les instances de tante Lecadre. Toujours est-il qu'il envoya à la ville du Havre deux demandes de bourse pour que son fils puisse étudier la peinture à Paris. Monet n'attendit pas un deuxième refus et se rendit à Paris au début du mois d'avril 1859, malgré l'opposition paternelle. Ses économies étaient désormais les bienvenues, car elles le rendaient indépendant, du moins pour quelque temps. Il se rendit au «Salon» parisien qui venait d'ouvrir ses portes, exposition qui représentait nettement le goût artistique du public et avait alors lieu tous les deux ans. Les lettres que Monet écrivit à Boudin montrent qu'il réagit intensément à la peinture contemporaine progressive de l'Ecole de 1830 également représentée au Salon.

Par l'entremise de Boudin et de Madame Lecadre, il se rendit, deux natures mortes sous le bras, chez le peintre Constant Troyon,

Cour de ferme en Normandie, env. 1863
Huile sur toile, 65 x 80 cm
W.I. 16
Paris, Musée d'Orsay

l'ancien maître de Boudin; il avait vu auparavant les œuvres de ce dernier au Salon et les avait louées devant Boudin. Troyon reconnut son talent, mais lui conseilla d'apprendre d'abord à dessiner et de copier au Louvre. Ces recommandations se référaient au plan d'étude académique habituel en vertu duquel on encourageait d'abord le dessin d'après des modèles sans vie et des bustes antiques. A l'époque, Monet dut trouver cette idée absurde, car il partait essentiellement de la couleur, ce que Troyon avait également constaté. Troyon lui conseilla d'entrer dans l'atelier libre du peintre académique Thomas Couture que fréquentait également Manet.

La formation proposée par Troyon trouva l'accord du père de Monet, de sorte que rien ne s'opposait plus à un séjour à Paris. Et pourtant, Monet renonça à cette carrière «académique», provoquant ainsi l'indignation de son père. Il préféra aller à l'académie Suisse libre, un atelier qui avait été fondé par Charles Suisse, un ancien élève de David, pendant la Monarchie de Juillet de tendance libérale. Suisse offrait à ses élèves la possibilité de travailler dans une liberté

Gustave Courbet
L'Atelier du peintre, 1855
Huile sur toile, 361 x 598 cm
Paris, Musée d'Orsay

absolue d'après le modèle vivant, sans être constamment soumis aux corrections d'un professeur. Cet atelier indépendant fut très recherché des artistes avant gardistes jusqu'à sa fermeture, en 1911. Outre Eugène Delacroix, Honoré Daumier et Gustave Courbet y avaient travaillé, Pissarro faisait partie des élèves depuis 1855 et Cézanne s'y inscrivit également en 1862. C'est là que débuta l'amitié de Monet et de Pissarro. «Ici, je suis entouré d'un petit groupe de peintres paysagistes qui seraient très heureux de faire votre connaissance. Ce sont de vrais peintres . . .», écrivit-il à Boudin. Une autre lettre adressée à Boudin montre que Monet s'enthousiasma toujours davantage pour la peinture de Delacroix et de Charles-François Daubigny à partir de 1860. Là-dessus, sa tante, qui possédait un tableau de Daubigny, lui en fit cadeau.

Monet prit ses premiers contacts avec les dits peintres et écrivains réalistes. Il ne fit toutefois la connaissance de Courbet, le chef de file du mouvement, que quelques années plus tard à la «Brasserie des Martyrs», un café fréquenté par les artistes où il dessinait des caricatures des clients contre rémunération, pour gagner sa vie. Outre Jules Champfleury, l'auteur du livre programmatique «Le Réalisme», on pouvait y rencontrer le poète Charles Baudelaire, le critique d'art Edmond Duranty et le médecin ami des arts Paul Gachet. Monet avoua plus tard qu'il avait perdu beaucoup de temps en cette compagnie. Toute sa vie, il fut peu convaincu par une vie de peintre bohémien, ce que prouvent ses domiciles très bourgeois à Argenteuil, puis à Giverny. «A l'époque», écrivit-il, «je me rendais quelquefois dans la célèbre brasserie de la Rue des Martyrs où je perdis beaucoup de temps et qui me fit le plus grand mal. J'y fis la connaissance de presque tous ceux dont parle Firmin Maillard dans son livre ‹Les derniers Bohémiens›, et en particulier de Firmin Maillard, Albert Glatigny, Théodore Pelloquet, Alphonse Duchesne,

Troncs d'arbre, 1857
Dessin au crayon, 28 x 20 cm
Paris, Musée Marmottan

Castagnary, Delvau, Daudet et autres propres à rien comme moi à l'époque. J'y vis aussi Courbet, mais je ne fis sa connaissance qu'après mon retour du service militaire.»

L'art de Courbet, qui marque une coupure entre la peinture officielle et celle de l'avenir, joua un rôle décisif dans l'évolution de l'Impressionnisme. Trois des plus importants tableaux de Courbet, *L'Atelier du peintre* (repr. p. 14), *L'Enterrement à Ornans* (1849/50; Paris, Musée d'Orsay) et *Les Baigneuses* (1853; Montpellier, Musée Fabre), avaient été refusés par le jury du Salon à l'occasion de l'Exposition universelle de 1855. Courbet décida donc d'ériger son propre pavillon du réalisme aux portes du bâtiment officiel de l'exposition afin d'y montrer ses œuvres. Cette exposition indépendante fut accueillie avec enthousiasme par la jeune génération de peintres et montra le chemin. Courbet se tournait contre la reproduction idéalisante, embellissante de la réalité comme c'était l'habitude dans l'art officiel de caractère académique. Il réclamait la vérité, l'actualité, la déclaration sociale et le refus de tout idéalisme: «Etre réaliste signifie être un ami sincère de la vraie vérité.» Pour Courbet, les thèmes simples, comme une botte de légumes, étaient donc dignes d'être peints. Conformément à cela, les natures mortes peintes par Monet au début des années 60 représentent de simples morceaux de viande ou des fruits et légumes. Les revendications de Courbet avaient également une tendance démocratique qui s'était manifestée dans la Révolution de février 1848 avec la destitution de Louis-Philippe, la proclamation de la République et le désir de droit de vote égal pour tous. Ce genre de tendances avait toutefois trouvé une fin soudaine en 1852 avec le début du Second Empire sous Napoléon III. La conception démocratique de l'art et de la vie de Courbet était désormais poursuivie et surveillée.

Au printemps 1861, Monet tira un mauvais numéro à la loterie du service militaire légalement instituée depuis 1855. Il dut donc s'engager pour sept ans dans les chasseurs d'Afrique en Algérie. Bien que cela ne signifiât pour lui qu'une interruption extrêmement importune de sa carrière qui venait juste de commencer, il déclara plus tard que cette époque avait été profitable à sa peinture. Dans ses souvenirs, Monet s'efforça toujours de mettre sa vie artistique sous son vrai jour: «Je passai en Algérie deux années qui furent réellement charmantes. Je voyais sans cesse du nouveau que je m'essayais à rendre dans mes moments de loisir. Les impressions de lumière et de couleur que je reçus là-bas ne devaient se classer que plus tard, mais le germe de mes futures recherches y était.» Le climat africain ne convint toutefois pas à Monet. Il fut si gravement atteint par le typhus au printemps 1862 qu'on l'envoya au Havre pour une convalescence de six mois.

Pendant l'été 1862, Monet se consacra de nouveau à la peinture avec ardeur, aux environs du Havre. Boudin ne travaillait pas très loin de là, sur la côte normande, entre Honfleur et Trouville. Si l'on peut se fier à une anecdote que rapporta Monet, il fit la connaissance du peintre hollandais Johan Barthold Jongkind, qui séjournait alors au Havre, par l'entremise d'un Anglais. Monet avait déjà admiré les travaux de ce dernier au Salon de 1860. Jongkind préférait les tableaux de mer et de plage, dans lesquels il essayait de capter les subtils phénomènes atmosphériques avec des couleurs très sensibles. Dans ces paysages inondés de lumière et d'air, construits avec des traits de couleur concis, il devint le précurseur de la peinture impressionniste et Monet raconta plus tard: «Jongkind fut mon vrai maître et c'est à lui que je dois l'éducation de mon œil».

Jongkind servit effectivement de modèle pour l'une des premières marines peintes par Monet en 1864, alors que tous deux travaillaient ensemble sur la côte. L'amitié de Monet et de Jongkind, qui menait une vie marginale en concubinage libre et était déjà fortement marqué par l'alcool, se heurta à l'opposition de la famille de Monet. Sa tante avait payé 3000 francs pour le racheter, mais – vu Jongkind – elle y mit la condition qu'il continuerait ses études picturales auprès d'un peintre de renom à Paris. La famille décida que le peintre de genre Auguste Toulmouche, qui était marié avec une cousine de la famille Lecadre et avait obtenu des médailles au Salon, était l'homme qu'il fallait pour surveiller la formation de Monet. Monet retourna donc à Paris à l'automne 1862 pour présenter à Toulmouche quelques uns des travaux réalisés au Havre. Ce dernier le félicita, mais lui conseilla d'entrer à l'atelier libre du peintre académique Charles Gleyre dont il avait lui-même été l'élève autrefois. Monet, la tête de bois normande, s'inclina. Il y travailla – sans entrain, dira-t-il plus tard – probablement jusqu'au printemps 1864, lorsque Gleyre dut fermer son atelier à cause d'une maladie des yeux.

Gleyre était républicain et n'exposa plus au Salon après le renversement de la république sous Napoléon III. Timide et calme, il laissait à ses élèves des libertés relativement grandes pour ne pas les blesser ou les limiter. Et pourtant, il souffrait de l'intérêt que beaucoup de ses jeunes élèves portaient aux théories réalistes. En même temps, il encourageait ses élèves à développer leur style personnel et leur recommandait les études d'après nature en plein air, ce qui prouve son intérêt pour la peinture de paysage. Par la suite, Monet évoqua ironiquement cette époque: Gleyre l'avait critiqué à l'occasion d'une étude d'après le modèle vivant: «Ce n'est pas mal, mais cela ressemble trop au modèle. Vous avez devant vous un homme laid et le peignez laid. Il a des pieds immenses et vous les reproduisez tels quels. Tout est laid. Rappelez-vous toujours, jeune homme, que quand on exécute une figure, il faut toujours penser à l'Antiquité. La nature, cher ami, est bonne pour étudier, autrement elle est sans intérêt. C'est le style qui importe. ‹J'étais révolté. La véracité, la vie, la nature, tout ce qui m'émouvait, tout ce qui était important à mes yeux ... n'existait pas pour cet homme.›»

Gleyre était de l'avis de l'Académie des Beaux-Arts selon laquelle la réalité des tableaux devait être soumise à un bel idéal. Monet trouva cependant dans cet atelier des camarades qui pensaient comme lui: «C'étaient Renoir et Sisley que je ne perdis plus des yeux depuis. Il y avait aussi Bazille qui devint également un grand ami.»

Edouard Manet
Le Déjeuner sur l'herbe, 1863
Huile sur toile, 208 x 264 cm
Paris, Musée d'Orsay

Les traits essentiels du caractère de Monet se révélaient déjà. Il était volontaire, opiniâtre et persévérant et suivait toujours ses propres idées. Il déclara par exemple ouvertement qu'il était athée et croyait seulement aux connaissances provenant de l'expérience directe. Il tirait même des côtés positifs de la résistance, cela le stimulait. Sa force et sa conscience de soi ont toujours à nouveau encouragé les autres peintres de son entourage. Renoir raconta plus tard: «Sans Monet, qui nous encourageait tous, nous aurions abandonné.» Il étonnait aussi par sa virtuosité et ses manières quand il apparaissait dans l'atelier Gleyre. Renoir rapporta: «Quand il entra dans l'atelier, les élèves, qui l'enviaient parce qu'il présentait bien, l'appelèrent le ‹Dandy›. Il n'avait pas un sou, mais portait des chemises avec des manchettes en dentelles . . . A l'exception de ses amis du ‹groupe›, Monet considérait les élèves comme une masse anonyme, des ‹esprits mercantiles›. A une élève, une fille jolie mais vulgaire qui lui faisait des avances, il dit: ‹Excusez-moi s'il vous plait, mais je ne couche qu'avec des comtesses ou des bonnes. Le milieu me dégoûte. L'idéal serait la bonne d'une comtesse.›»

Monet ne perdit jamais de vue les avantages d'une solide vie bourgeoise, surtout quand il s'agissait de manger. On disait à propos de son appétit qu'il mangeait comme quatre. En ce qui concerne la famille, Monet était très traditionaliste et conservateur. Mais les lettres qu'il écrivit à ses amis et à des collectionneurs permettent de déceler des qualités moins agréables. Ainsi, lorsqu'il était question d'affaires financières, Monet était parfois mesquin et rancunier. Il pouvait choquer des amis, silencieux et peu aimable, par des manières

La Charrette, route sous la neige à Honfleur, 1865
Huile sur toile, 65 x 92 cm
W.I. 50
Paris, Musée d'Orsay

très brutales, alors qu'il savait négocier fort habilement avec les collectionneurs et les marchands.

Monet et Frédéric Bazille, un jeune méridional qui étudiait simultanément la médecine et l'art à Paris pour la paix familiale, se lièrent très étroitement. Bazille admirait Monet et le soutint aussi par la suite de toutes les manières possibles et imaginables. Au printemps 1863, ils entreprirent tous deux une excursion dans la forêt de Fontainebleau pour peindre dans la nature. De retour à Paris, Monet se rendit au Salon qui venait d'ouvrir ses portes et auquel un «Salon des Refusés» était adjoint pour la première fois.

Le Salon, qui avait été créé au XVIIe siècle pour exposer les travaux d'artistes vivants, détermina jusqu'au XIXe siècle la vie artistique, car c'était pratiquement l'unique possibilité d'exposition pouvant être prise au sérieux. C'est également là que l'Etat effectuait ses achats. Les membres de l'Académie des Beaux-Arts de Paris faisaient partie du jury du Salon et les directives du choix étaient donc fixées dans une large mesure. On y cultivait une tradition hostile au réalisme où le tableau historique avait plus de valeur que le tableau de genre ou le paysage. Depuis le premier quart du XIXe siècle, cette attitude se heurtait à une opposition croissante chez les peintres de la nouvelle génération. L'une des réactions consista à fonder des académies indépendantes. Le Salon, qui avait lieu tous les deux ans depuis 1848, devait effectuer un choix parmi des milliers de toiles. Dans la mesure où des travaux plus libres étaient acceptés, ils étaient accrochés si haut qu'on pouvait à peine les voir – par rapport

La Pointe de la Hève à marée basse, 1865
Huile sur toile, 90 x 150 cm
W.I. 52
Fort Worth (Tex.), Kimbell Art Museum

aux tableaux historiques, ils étaient d'un format relativement petit. En 1863, le jury s'était surpassé dans le nombre de refusés, de sorte qu'il y eut des protestations inouïes. Napoléon III se vit obligé de regarder lui-même les œuvres d'art refusées et fut en partie étonné qu'elles eussent été refusées. Il fit donc instituer une exposition des refusés dans des salles attenant au Salon. En outre, le Salon devait désormais avoir lieu chaque année et chaque artiste ne pouvait y exposer que deux toiles. De plus, on procéda à une réorganisation du jury qui accepta aussi des paysagistes indépendants ayant obtenu des médailles. En firent partie Daubigny, Corot, Jongkind et Troyon qui favorisèrent l'accueil de travaux indépendants du groupe impressionniste au cours des années suivantes, de sorte que la lutte pour l'art nouveau fut disputée au Salon, du moins jusqu'au début des années 70.

La peinture de paysage toujours plus dominante correspondait à une évolution qui avait déjà commencé sous Louis-Philippe car, en se renforçant, la couche bourgeoise imposa aussi davantage ses goûts. Son niveau culturel était différent de celui de la vieille noblesse et les thèmes mythologiques étaient par conséquent moins prisés. Le profane estimait que la peinture devait être compréhensible pour tous. Les simples thèmes champêtres liés à la réalité se prêtaient à cela. Ils trouvèrent un écho dans la génération de Camille Corot, Daubigny, Boudin et Troyon au Salon de 1863.

Le Salon des Refusés déclencha toutefois avec *Le Déjeuner sur l'herbe* de Manet (repr. p. 17) un scandale public tel que Courbet

A GAUCHE:
Henri Fantin-Latour
Un Atelier aux Batignolles, 1870
Huile sur toile, 204 x 273 cm
Paris, Musée d'Orsay

A DROITE:
Frédéric Bazille
L'Atelier de la rue Furstenberg, 1866
Huile sur toile, 80 x 65 cm
Montpellier, Musée Fabre

lui-même n'avait pu en enregistrer de semblable. Dans une scène champêtre, deux hommes vêtus sont assis à côté d'une femme entièrement nue qui regarde l'observateur, provocante et impudique. Dans cette composition, Manet s'était servi de deux modèles classiques, comme *Le Concert champêtre* du Titien (Paris, Musée du Louvre), mais chez lui, la scène est dépouillée des références mythologiques ou allégoriques qui, dans la peinture académique, servaient de justification pour représenter le nu. Le peintre académique Alexandre Cabanel avait magistralement transposé cela dans sa *Naissance de Vénus* (repr. p. 21) également exposée au Salon de 1863. Napoléon III acheta le tableau pendant l'exposition. Manet, pour sa part, transposa toutefois ses figures dans sa propre époque, dans l'esprit d'une exigence du mouvement réaliste. Le public prude était choqué. Manet se heurtait aux limites de la double morale bourgeoise. Pour les jeunes peintres, il devint toutefois le précurseur de leurs propres tendances.

Monet passa l'été 1863 dans sa famille au Havre. Pendant ce séjour, il créa *La Cour de ferme en Normandie* (repr. p. 13), la première représentation de paysage conservée depuis le retour d'Algérie de Monet. Le tableau est encore très coloré et peu autonome. En octobre, Monet regagna Paris où il installa au printemps suivant son propre studio, près de Bazille, au n° 20, rue Mazarine, après la fermeture de l'atelier Gleyre.

A Pâques 1864, il rapporta d'un court séjour à Chailly, dans la forêt de Fontainebleau, *Le Pavé de Chailly* (Etats-Unis, collection particulière) qu'il put montrer au Salon de 1866. Peu après son retour, il emmena Bazille sur la côte normande où ils logèrent à la ferme Saint-Siméon que Monet peignit dans *La Route de la ferme Saint-Siméon* (rep. p. 21). Cette localité située à l'est de Honfleur se trouvait à mi-hauteur et offrait un panorama enchanteur sur l'estuaire de la Seine. Dans les années 60, les environs furent un point d'attraction pour beaucoup de paysagistes comme Boudin, Jongkind, Courbet, Daubigny et Troyon. Bazille rentra bientôt à Paris, tandis que Monet assista à l'arrivée de Boudin et de Jongkind et profita de leur présence. Outre des paysages comme *La Route de la Bavolle à Honfleur* (repr. p. 8), Monet réalisa également des portraits. Par rapport aux travaux antérieurs, ces toiles se distinguent par leur facture plus libre. A la fin de l'année, les finances de Monet étaient si mauvaises que Bazille dut l'aider afin qu'il puisse rentrer à Paris en novembre. Comme la situation de Monet ne s'améliorait toujours pas, ils décidèrent d'ouvrir ensemble un atelier au n° 6, rue Furstenberg. Tout comme les ateliers de la plupart des peintres impressionnistes tardifs, ce dernier se trouvait dans le quartier des Batignolles. C'est pourquoi les critiques donnèrent d'abord à ces artistes le nom de «Groupe des Batignolles». Dans le tableau de Bazille intitulé *L'Atelier de la rue Furstenberg* (repr. p. 20), on peut voir un coin de ce studio composé de deux pièces et d'un cabinet de toilette. On reconnaît entre autres sur le mur des œuvres de Monet comme *La Route de la ferme Saint-Siméon,* (repr. p. 21). Beaucoup de peintres impressionnistes tardifs comme Renoir, Sisley et Pissarro, mais aussi Courbet et Henri Fantin-Latour, y avaient leurs petites et leurs grandes entrées, et Delacroix avait peint à l'étage du dessous jusqu'à sa mort, deux ans auparavant.

Pour le Salon de mars 1865, Monet envoya pour la première fois deux tableaux créés en 1864 à Honfleur et à Sainte-Adresse. *L'Embouchure de la Seine à Honfleur* (Pasadena, Norton Simon Museum) et *La Pointe de La Heve à marèe basse* (repr. p. 19) furent acceptées: «Ce fut un grand succès: je me jetai dans la peinture en plein air.» Les travaux furent remarqués et loués par les critiques. Bien qu'ils fussent encore plus grands que ceux que Jongkind réalisa à la même époque, ils s'inspiraient toutefois beaucoup du style de Jongkind dans leur facture spontanée, quoique sensible et fraîche, de la nature et de la lumière. On raconte que Manet aurait été félicité pour ces tableaux – on l'avait confondu avec Monet à cause de leurs noms semblables –, ce qui, naturellement, l'irrita: «Qu'est-ce donc que ce Monet qui fait comme s'il s'appelait Manet et tire profit de mon nom connu?» Mais Monet avoua sans détour bien des années plus tard: «Oui, Manet fut une découverte pour moi et pour ma génération.» Effectivement, Manet donna des impulsions décisives pour le développement ultérieur de Monet et des autres membres du «Groupe des Batignolles». Une partie de cette époque est demeurée vivante dans *Un Atelier aux Batignolles* (repr. p. 20) peint par Fantin-Latour, qui représente les artistes Manet, Monet, Otto Scholderer, Renoir, Emile Zola, Bazille, le musicien Edmond Maître et le critique Zacharie Astruc réunis au café Guerbois.

Alexandre Cabanel
La Naissance de Vénus, 1863
Huile sur toile, 130 x 225 cm
Paris, Musée d'Orsay

La Route de la ferme St. Siméon, 1864
Huile sur toile, 82 x 46 cm
W.I. 29
Tokyo, The National Museum of Western Art, collection Matsukata

Claude Monet
1866

Une nouvelle vision de la réalité
Premiers succès et échecs au «Salon»

Manet acquit de l'importance dans un projet très ambitieux pour lequel Monet se sentait stimulé par le récent succès remporté au Salon. En réaction au *Déjeuner sur l'herbe* (repr. p. 17) de Manet, il se mit en tête de réaliser pour le Salon de 1866 une grande toile de cinq à sept mètres de large représentant douze figures grandeur nature placées en plein air pour un pique-nique. Bien que le thème, qui reflète le charme de la vie champêtre, eût été courant dans la peinture française contemporaine, Monet voulait partir d'études réalisées en plein air. Dans l'esprit de Courbet, le travail devait rendre une expression véridique de la vie contemporaine et Monet voulait donc – à la différence de Manet – renoncer consciemment à toute allusion aux traditions de l'histoire de l'art.

En avril 1865, il se rendit à Chailly, dans la forêt de Fontainebleau, où il loua une chambre à l'Auberge du Lion d'Or. La pluie persistante l'empêcha toutefois de travailler en plein air. Il s'était en outre blessé à la jambe et était cloué à son lit (repr. p. 23). Bazille, qui était venu le rejoindre en août à sa demande, s'occupait de lui. Courbet et Corot vinrent également rendre visite au malade.

Pendant l'été, Monet avait peint plusieurs paysages en rapport avec cette composition, comme *Le Pavé de Chailly* (repr. p. 24) où le cadrage du paysage fut fixé. Il était absorbé par son travail: «Je ne pense plus qu'à ma toile; si elle ne réussit pas, je deviendrai vraisemblablement fou.» Bazille servit de modèle pour des études grandeur nature le représentant aux côtés de Camille Doncieux, la future femme de Monet (repr. p. 24). Dans l'étude préliminaire conservée à Moscou (repr. p. 25), on a identifié Sisley, Courbet, Albert Labron des Piltières, élève de Gleyre, Bazille et Camille. Monet ne termina jamais cette œuvre. En 1878, il dut la donner en gage pour son loyer arriéré lorsqu'il quitta Argenteuil. Le tableau fut entreposé dans une cave humide, de sorte que le côté droit était décomposé le tableau fut retiré en 1884. Monet fit donc disparaître la partie droite et casa la partie centrale (repr. p. 27) dans son atelier à Giverny, où il la montra fièrement à ses visiteurs. Elle fut longtemps prise pour une œuvre complète jusqu'à ce qu'on retrouve la partie gauche du tableau (repr. p. 26) après la mort de Monet.

Alors que Monet s'était principalement consacré à des paysages,

Frédéric Bazille
L'Ambulance improvisée, 1865
Huile sur toile, 47 x 65 cm
Paris, Musée d'Orsay

Camille ou *Femme à la robe verte,* 1866
Huile sur toile, 231 x 151 cm
W.I. 65
Brême, Kunsthalle Bremen

Le Pavé de Chailly, 1865
Huile sur toile, 43 x 59 cm
W.I. 56
Paris, Musée d'Orsay

Les Promeneurs (Bazille et Camille), 1865
Huile sur toile, 93 x 69 cm
W.I. 61
Washington (D.C.), National Gallery of Art, collection Ailsa Mellon Bruce

des marines et des natures mortes jusqu'en 1865, il dut désormais faire face au problème consistant à intégrer des figures grandeur nature dans le paysage. Le portrait en pied de l'aquarelliste et graveur Jules Ferdinand Jacquemart (repr. p. 28) a certainement un rapport avec cela. Monet insère ses figures de manière académique dans un paysage arrangé en perspective et en profondeur. Il s'efforce en même temps d'abstraire. Le feuillage et le ciel sont par exemple rendus par d'épaisses taches de couleur et possèdent néanmoins une fonction descriptive. La lumière solaire structurant le tableau avec des taches claires et empâtées, joue un grand rôle. Dans le jeu des zones d'ombre et de lumière, Monet applique alternativement une couche de peinture franche et plate, et une couche de peinture épaisse et fragmentée. Bien que les études de ce tableau aient été réalisées en plein air et se réfèrent donc directement aux rapports de la lumière et de l'ombre, ce tableau monumental dut cependant être exécuté en atelier. Cela correspondait à la tradition académique qui partait également d'études préliminaires pouvant avoir été créées en plein air; mais celles-ci servaient uniquement de stades préliminaires pour l'élaboration définitive et l'achèvement en atelier.

C'était là la plus grande difficulté pour Monet. Comment devait-il transposer sur une œuvre monumentale les particularités de l'esquisse si importantes pour lui, esquisse caractérisée par sa spontanéité, son évidence et sa vivacité? Monet abandonne le dessin détaillé, ce qui est particulièrement visible en bas du tableau, à gauche. La surface plus unie, le renoncement à la tridimensionnalité, a incité à dire que le peintre avait renoncé à l'exécution définitive du tableau. Au cours des années suivantes, on entendit souvent dire dans les cercles conservateurs que les tableaux de Monet étaient plutôt des esquisses que des œuvres élaborées au sens académique.

Le Déjeuner sur l'herbe (Etude), 1865
Huile sur toile, 130 x 181 cm
W.I. 62
Moscou, Musée Pouchkine

Cette opinion devint un critère essentiel pour juger les œuvres impressionnistes.

Depuis octobre 1865, Monet était intensément occupé à terminer son tableau dans la rue Furstenberg. Courbet le vit et en fit l'éloge. Mais peu après son installation dans son propre studio au n° 1, rue Pigalle, en janvier suivant, Monet abandonna son projet, car il n'aurait pas pu le terminer à temps pour l'ouverture du Salon, le ler mai. Il soumit donc *Le Pavé de Chailly* (1863, collection particulière) ainsi qu'un portrait de femme en pied, grandeur nature, qu'il avait réalisé en l'espace de quelques jours et pour lequel Camille Doncieux, alors âgée de 19 ans, avait servi de modèle. Les deux œuvres furent acceptées.

Camille ou *Femme à la robe verte* (repr. p. 22) montre la jeune femme peinte à moitié de dos; elle penche la tête sur l'épaule droite, mais ne regarde pas l'observateur. Il y a là quelque chose de coquet et même d'équivoque. Dans son ample robe qui traîne derrière elle, elle semble plus disparaître peu à peu que s'éloigner. Consciente de la mode de l'époque, elle porte une robe de taffetas à rayures noires et vertes et une veste de velours noir lui allant jusqu'aux hanches. Monet s'intéressa tout particulièrement à ce costume, au brillant de l'apparence pittoresque et renonça à rendre de façon différenciée l'expression du visage, ne serait-ce que parce qu'il est vu de profil. Bien que le tableau fût mal accroché au Salon, il attira néanmoins grandement l'attention. Les critiques soulignèrent tout particulièrement la matérialité de la robe de Camille. L'écrivain naturaliste Zola, ami d'enfance de Cézanne à l'époque d'Aix-en-Provence et admirateur de la peinture de Manet, écrivit, enthousiamé: «Le tableau qui m'a le plus longtemps fasciné a été *Camille* de Monsieur Monet. Il est énergique et vivant . . . Voilà un tempéra-

Le Déjeuner sur l'herbe (partie gauche),
1865
Huile sur toile, 418 x 150 cm
W.I. 63a
Paris, Musée d'Orsay

REPRODUCTION CI-CONTRE:
Le Déjeuner sur l'herbe (partie centrale),
1865
Huile sur toile, 248 x 217 cm
W.I. 63 b
Paris, Musée d'Orsay

REPRODUCTION PAGE 28:
Portrait de J.F. Jacquemart au parasol,
1865
Huile sur toile, 105 x 61 cm
W.I. 54
Zurich, Kunsthaus Zürich

REPRODUCTION PAGE 29:
Femmes au jardin, 1866
Huile sur toile, 255 x 205 cm
W.I. 67
Paris, Musée d'Orsay

Claude Monet

Claude Monet

ment . . . Regardez les autres toiles et voyez quelle piteuse mine elles font à côté de cette fenêtre ouverte sur la nature. Ici, il y a plus qu'un réaliste, il y a un interprète délicat et fort qui a su rendre chaque détail sans tomber dans la sécheresse.» Tout comme Courbet, qui voulait non seulement être un peintre mais aussi un être humain pour – en un mot – créer de l'art vivant, Zola considérait que toute toile qui n'était pas pleine de tempérament était morte. *Camille* était donc tout simplement pour lui le symbole de la vie moderne.

Le tableau de Monet diffère des portraits académiques de femme du fait qu'il ne représente pas un type, mais incarne aussi l'individualité. Du point de vue technique, Monet se montre, comme auparavant dans *Le Déjeuner sur l'herbe* (repr. p. 26/27), le docile élève de Courbet. Alors qu'on appliquait un glacis dans les portraits conventionnels du Salon, Monet travaille ici, surtout dans la zone du visage, avec une épaisse couche de peinture à la prima. Néanmoins, le portrait de *Camille* est plus traditionnel que tous les autres travaux réalisés à l'époque par Monet. Comparée au *Déjeuner*, *Camille* est un pas en arrière en direction de la peinture conventionnelle. Dans l'attitude de la femme qui tourne la tête, Monet se réfère à la silhouette féminine peinte par Courbet dans son *Atelier* (repr. p. 14). Mais la connaissance des représentations féminines aux silhouettes accentuées de Manet se laisse tout aussi peu nier que sa centralisation des figures et les qualités clair-obscur de la palette.

Désormais, Camille n'était plus seulement le modèle préféré de Monet comme dans *Camille* ou *Femme à la robe verte* (repr. p. 22), mais aussi sa compagne. Cette liaison se heurta à l'opposition et au rejet des honnêtes provinciaux qu'étaient les parents de Monet. Le père et la tante exigèrent la séparation, de même que les parents de Camille. Comme Claude et Camille ne se pliaient pas à cet ordre, la famille de Claude refusa d'apporter son soutien financier. La joie et la fierté à propos du succès remporté par Monet au Salon avaient été de courte durée. En raison dudit succès, il avait pu vendre quelques tableaux dont une réplique de sa *Camille*, mais cela ne suffisait pas pour rembourser ses dettes. Il finit par s'enfuir devant ses créanciers et se réfugia à Ville-d'Avray, une localité proche de Paris, où il s'attaqua à un nouveau projet commandé par Bazille et que celui-ci acquit pour 2500 francs, payables par mensualités. Monet avait beaucoup appris, car la toile des *Femmes au jardin* (repr. p. 29) devait être entièrement réalisée en plein air.

Courbet et Manet, qui n'étaient jamais allés aussi loin bien qu'ils eussent réclamé le rapport avec la réalité, s'amusèrent de cette idée. Manet ne peignit en plein air que bien des années plus tard sous l'influence de Monet. Si Monet devait beaucoup à ces deux peintres pour la peinture qu'il réalisa à cette époque, c'est pourtant là que réside sa particularité. Dans le jardin d'une maison louée, Monet fit faire une construction spéciale lui permettant d'escamoter peu à peu dans le sol une partie de la surface peinte, ce qui était fort problématique vu la grandeur de la toile. Il renonça même à poursuivre son travail quand le soleil n'était pas de la partie. Les figures n'étaient

Jardin en fleurs, env. 1866
Huile sur toile, 65 x 54 cm
W.I. 69
Paris, Musée d'Orsay

plus grandeur nature. Camille, qui l'avait suivi à Ville-d'Avray, servit à nouveau de modèle pour au moins trois des quatre figures de femme.

Monet donna à ses expériences en plein air une dimension qui dut sembler un défi à ses contemporains. Dans ce tableau, sa palette est beaucoup plus claire qu'auparavant, la plupart des couleurs sont mélangées avec du blanc, et à la place des transitions modelantes apparaît la répartition rythmique en brèves touches, taches et points. Frayant la voie pour les années 60, Monet s'était servi de la couleur autrement. Il passa d'une coloration comparativement retenue à des couleurs plus claires et à des contrastes plus vifs. Monet déclara plus tard que Delacroix avait joué un rôle important pour lui et pour le développement du coloris impressionniste. Les tableaux aux couleurs vives de Delacroix et ses déclarations transmises après sa mort apprirent à Monet comment employer des surfaces colorées contrastantes posées les unes à côté des autres, rouges et vertes par exemple, pour éclaircir et animer toute la représentation. Pour Delacroix, les ombres n'étaient pas représentables avec du gris ou du noir dans le clair-obscur, comme c'était le cas pour la peinture académique. Pour lui, le gris était «l'ennemi de la peinture». Il avait observé que quand les objets sont vivement colorés, les ombres prennent leur ton complémentaire, qu'un objet rouge jette donc des reflets verts à l'ombre. Delacroix découvrit en outre qu'une surface colorée gagne en intensité quand d'autres nuances sont ajoutées à cette couleur. Il utilisa ces découvertes dans sa peinture. Les journaux dans lesquels Delacroix avait laissé son testament artistique faisaient partie des lectures préférées de Monet.

Monet passa l'été 1866 sur la côte normande où il rencontra Courbet et Boudin. Il rendit visite à la famille Lecadre dans sa propriété à Sainte-Adresse où fut également réalisé le tableau *Jardin en fleurs* (repr. p. 30) A Honfleur, où il avait pris une chambre d'hôtel, il s'attaqua à une grande vue du *Port de Honfleur* qu'il destinait au Salon de 1867. A son retour à Paris, il rapporta de nouveaux tableaux, mais était sans ressources, de sorte qu'il se vit contraint d'emménager avec Camille au n° 20, rue Visconti, chez Bazille qui avait déjà recueilli Renoir.

Le refus des *Femmes au jardin* au Salon de 1867 fut un coup dur pour Monet. Mais Renoir, Bazille et Sisley avaient également été refusés, si bien que l'on songea tout d'abord à une exposition privée qui échoua cependant pour cause de moyens financiers insuffisants. Au printemps 1867, Monet se tourna avec Renoir vers quelques vues de Paris comme *Le Quai du Louvre* (repr. p. 34), dans lesquelles il employa désormais une palette très claire. Les vues de la vie de la grande ville représentent une nouvelle expérience de la vie telle que l'avait également formulée Baudelaire: l'artiste moderne devait fixer toute la vie actuelle sous toutes ses facettes, transformations et transitions; rien n'était trop banal, trop laid, pour devenir un motif artistique. L'atmosphère multicolore et agitée de la grande ville offrait suffisamment de nouveaux attraits de ce genre.

Saint-Germain-l'Auxerrois, 1867
Huile sur toile, 79 x 98 cm
W.I. 84
Berlin, Staatliche Museen Preußischer Kulturbesitz, Nationalgalerie

A la différence de Degas et de Manet, Monet n'accorda à la thématique de la grande ville qu'un rôle secondaire dans son œuvre. Monet, qui venait de la campagne et aimait la nature, ne devint jamais un citadin. Son aversion pour la vie citadine se manifesta aussi dans le fait que, par la suite, il prit toujours ses résidences à la campagne. Pourtant, Paris était pour lui, surtout pendant les premières années de sa carrière picturale, l'endroit idéal pour la confrontation avec les nouvelles idées avant-gardistes issues de l'entourage du réalisme et de la peinture de paysage indépendante. Depuis 1866, les discussions souvent échauffées qui y étaient liées avaient principalement lieu au café Guerbois, rue des Batignolles, où l'on se rencontrait tous les lundis soirs et où Manet donnait le ton. Monet raconta un jour: «En 1869 . . . Manet m'invita à venir le retrouver chaque soir dans un café des Batignolles où ses amis et lui se réunissaient au sortir de l'atelier pour discuter. J'y rencontrai Fantin-Latour et Cézanne, Degas qui se joignit au groupe peu après

Le Quai du Louvre, 1867
Huile sur toile, 65 x 93 cm
W.I. 83
La Haye, collection Haags Gemeentemuseum

Le Jardin de l'Infante, 1867
Huile sur toile, 91 x 62 cm
W.I. 85
Oberlin, Allen Memorial Art Museum, Oberlin College

Claude Monet

Terrasse à Sainte-Adresse, 1867
Huile sur toile, 98,1 x 129,9 cm
W.I. 95
New York, The Metropolitan Museum of Art, acquis à l'aide de dons et fonds spéciaux, legs d'amis du musée, 1967 (67.241)

REPRODUCTION EN HAUT A DROITE:
Les Régates à Sainte-Adresse, 1867
Huile sur toile, 75 x 101 cm
W.I. 91
New York, The Metropolitan Museum of Art, legs de William Church Osborn, 1951

REPRODUCTION EN BAS A DROITE:
La Plage de Sainte-Adresse, 1867
Huile sur toile, 75,8 x 102,5 cm
W.I. 92
Chicago, The Art Institute of Chicago, collection à la mémoire de M. et Mme Lewis Larned Coburn, 1933.439

Claude Monet

Claude Monet 67

son retour d'Italie, le critique d'art Duranty, Emile Zola dont la carrière littéraire ne faisait que commencer, et quelques autres encore. J'y amenai moi-même Sisley, Bazille et Renoir. Rien n'était plus intéressant que ces causeries avec leurs perpétuels chocs d'opinions. On s'y tenait l'esprit en haleine, on s'y encourageait à la recherche sincère et désintéressée, on y faisait des provisions d'enthousiasme qui vous soutenaient pendant des semaines jusqu'à la mise en forme définitive de l'idée. On en sortait toujours mieux trempé, plus fermement décidé, les pensées plus nettes et plus claires.» Lorsque l'idée d'organiser une exposition impressionniste indépendante se fut cristallisée en 1874, on abandonna ce lieu de rencontre. Les entretiens se déroulèrent désormais à la Nouvelle-Athènes, place Pigalle, et plus tard, pendant les dîners impressionnistes, au café Riche. Monet s'y rendit encore pendant les années où il avait déjà un domicile fixe à la campagne.

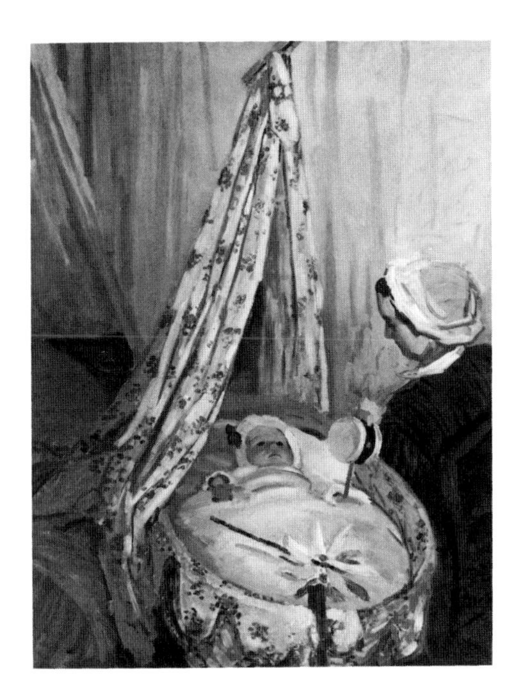

Jean Monet dans son berceau, 1867
Huile sur toile, 116,8 x 88,9 cm
W.I. 101
Washington (D.C.), National Gallery of Art, collection M. et Mme Paul Mellon

Pendant l'été, Monet se vit contraint de faire savoir à sa famille que Camille attendait un enfant. La réponse fut une invitation à Sainte-Adresse que Camille rejeta expressément. Bien que le père de Monet eût lui-même avec sa domestique une liaison d'où naquit un enfant, on condamnait Camille selon une double morale. En l'absence de Monet, Camille donna le jour à leur fils Jean le 8 août 1867. Pendant ce temps, Monet se jeta à corps perdu dans la peinture. Il créa des marines, comme *La Plage de Sainte-Adresse* (repr. p. 37), des natures mortes et finalement *Terrasse à Sainte-Adresse* (repr. p. 36).

Monet y montre un décor bourgeois au centre duquel se trouve son père, en bas à droite. La position que lui accorde Monet atteste – malgré toutes les tensions – une certaine estime. On voit au premier plan le jardin peint depuis un point surélevé, tandis que la balustrade et les mâts de drapeaux qui coupent les surfaces horizontales de l'eau et du ciel confèrent à ce qui se passe à l'arrière-plan un caractère plat, scénique, et nient la profondeur conventionnelle. Monet utilise pour la première fois un effet d'ombres, coloré dans l'esprit des ombres violettes de Delacroix ainsi qu'une couche de couleurs contrastant entre elles, comme le rouge et le vert qui donnent au tableau son incroyable fraîcheur et annoncent les travaux impressionnistes ultérieurs. Un sujet de tableau tout à fait réaliste est lié ici à des qualités impressionnistes partant d'un effet optique pris en pleine nature.

Au printemps 1868, Monet était de retour à Paris pour y présenter entre autres une marine qui a aujourd'hui disparu mais fut louée par Zola comme exemple de nouvelle peinture liée à la réalité. Dans *Au Bord de l'eau, Bennecourt* (repr. p. 42), qui fut réalisé au cours d'un séjour à Bennecourt, sur la Seine, Monet traita les problèmes relatifs à la manière de voir et à l'interprétation menant à la technique impressionniste et dont les débuts purent être observés dans *Sainte-Adresse*. Le tableau est extrêmement plat et laisse loin derrière lui une profondeur construite en perspective de peinture conventionnelle. L'association de spatialité est obtenue dans l'ensemble par

La Pie, 1869
Huile sur toile, 89 x 130 cm
W.I. 133
Paris, Musée d'Orsay

les arbres sur la gauche qui relient le premier plan et le lointain en faisant un fondu enchaîné avec toute la surface du tableau. En même temps, Monet travaille avec une donnée que l'on peut observer dans la nature, c'est-à-dire que les couleurs sombres ressortent et transmettent la proximité comme dans le premier plan ombragé, tandis que les couleurs claires reculent et associent le lointain comme sur la rive opposée, sur le fleuve et dans la zone du ciel. Conformément à cela, le feuillage des arbres décomposé en d'innombrables taches de couleur semble plus fragmenté parce qu'il est plus proche, tandis que les formes lointaines s'assemblent en surfaces plus planes. La description détaillée de l'objet est toutefois sans cesse abandonnée en faveur d'un effet optique d'ensemble fait de taches et de points de couleur. Pour la première fois, Monet attribue un rôle décisif aux reflets pour créer le tableau, car ils lui donnent tout particulièrement la possibilité de lier l'idée artistique à ce qui a réellement été perçu. Par les reflets, le modèle réel se transforme donc en formes colorées abstraites.

Pendant l'été 1868, Monet se rendit avec Camille et Jean sur la côte normande où il participa avec un très grand succès à une exposition et réalisa le *Portrait de Madame Gaudibert* (repr. p. 41), commande qui redressa sa situation matérielle. Ce tableau grandeur

REPRODUCTION PAGE 40:
Le Déjeuner, 1868
Huile sur toile, 230 x 150 cm
W.I. 132
Francfort, Städtische Galerie im Städelschen Kunstinstitut

Portrait de Madame Gaudibert, 1868
Huile sur toile, 217 x 138 cm
W.I. 121
Paris, Musée d'Orsay

Au Bord de l'eau, Bennecourt, 1868
Huile sur toile, 81,5 x 100,7 cm
W.I. 110
Chicago, The Art Institute of Chicago,
collection Potter Palmer, 1922.427

La Grenouillère, 1869
Huile sur toile, 75 x 100 cm
W.I. 134
New York, The Metropolitan Museum of Art,
legs de M. et Mme H.O. Havemeyer, 1929.
Collection H.O. Havemeyer (23.100.112)

Le Pont de Bougival, 1870
Huile sur toile, 63 x 91 cm
W.I. 152
Manchester (N.H.), Currier Gallery of Art

nature d'une dame élégamment vêtue est frais et puissant. Il rappelle *Camille* tout en étant beaucoup plus complexe et différencié dans le traitement de la surface. Monet passa également l'automne et l'hiver avec Camille et Jean sur la côte normande où il se consacra à des intérieurs fixant affectueusement sa petite famille, comme *Le Dîner* (Fondation E. G. Bührle) et *Le Déjeuner* (repr. p. 40). Il s'attaqua en outre par un froid glacial à des paysages de neige comme *La Pie* (repr. p. 39) qui séduit par un merveilleux effet de lumière.

Lorsqu'il rentra à Paris à la fin de l'année, sa tante lui avait supprimé les frais d'entretien à cause de sa liaison avec Camille, et beaucoup de ses tableaux avaient été saisis au Havre à cause de factures impayées. Dans la misère, on se réfugia chez Bazille comme autrefois. L'année suivante n'apporta pas d'amélioration décisive. Le Salon refusa son *Déjeuner*, et lorsqu'il arriva avec sa famille à Saint-Michel, vers Bougival, il n'avait pas suffisamment d'argent pour subvenir aux besoins de l'enfant. La lumière et le bois de chauffage manquaient depuis longtemps. La situation était désespérée. Renoir, qui vivait à proximité chez ses parents, à Louveciennes,

Train dans la campagne, 1870–71
Huile sur toile, 50 x 65 cm
W.I. 153
Paris, Musée d'Orsay

apportait du pain de chez lui pour aider Monet et sa famille. Ils travaillaient côte à côte. Par mauvais temps, ils se tournaient vers les natures mortes; le reste du temps, ils plantaient leur chevalet, entre autres près de l'île de «la Grenouillère» sur la Seine, près de Bougival.

En ce temps-là, ce lieu et son restaurant étaient un point d'attraction le dimanche pour les êtres avides de plaisirs qui passaient leur temps à se baigner et à faire des promenades en barque. Monet a exécuté plusieurs études d'après ce motif qu'il voulait employer par la suite pour une grande composition destinée au Salon. Mais ce projet ne fut jamais réalisé. Dans la version new-yorkaise (repr. p. 43), on voit sur la droite la location de bateaux d'où partait une étroite passerelle menant au rond-point flottant nommé «Camembert». Sur la gauche, se trouvait l'entrée des cabines de bain – qui ne sont pas visibles ici.

Dans ces tableaux, on a vu avec raison le début de la touche impressionniste libre et spontanée qui décompose le sujet en innombrables taches, points et traits de couleur individuels. C'est là la continuation de la technique qui avait été observée dans *Au Bord de l'eau, Bennecourt* (repr. p. 42), mais Monet est maintenant encore beaucoup plus libre dans la conception. Les baigneurs et leurs reflets dans la partie gauche du tableau sont si décomposés qu'ils peuvent à peine être différenciés les uns des autres. La lumière et l'ombre structurent la surface de l'eau en taches colorées claires et sombres. Par son exécution rapide et schématique avec des couleurs très épaisses, Monet renonce à toute description détaillée d'objet et se concentre sur le jeu atmosphérique de la lumière et de l'ombre. Si l'on compare les toiles de la Grenouillère peintes par Monet avec celles de Renoir, on note une différence manifeste de nature. Alors qu'il importe avant tout à Renoir de créer la figure humaine, Monet encastre cette dernière – qui est réduite à des taches de couleur abstraites – dans la nature environnante.

Alors que la situation économique de Monet ne s'améliore pas non plus pendant l'hiver, de nombreux paysages de neige de Louveciennes et des vues de Bougival comme *Le Pont de Bougival* (repr. p. 44) et le *Trains dans la Campagne* (repr. p. 45) permettent de conclure à une phase créatrice. La déception fut d'autant plus grande lorsque le Salon de mars 1870 refusa ses travaux (*Le Déjeuner* et *La Grenouillère,* une version aujourd'hui disparue). Les temps étaient difficiles, une guerre entre la Prusse et la France se préparait du fait de l'hostilité de Napoléon III à l'égard de l'unité allemande mise en œuvre par Bismarck. Mais finalement, la cause de la guerre fut la querelle relative à la succession espagnole.

Quand Monet épousa Camille Doncieux le 28 juin 1870 à Paris en présence de Courbet, ceci ne se fit pas en dernier lieu sous la pression exercée par la guerre imminente. Monet s'attendait à être appelé. Pour y échapper, il se réfugia tout d'abord avec sa famille sur la côte normande, à Trouville, où Boudin arriva bientôt avec sa femme. Boudin évoqua plus tard leur travail commun sur la plage de Trouville: «Je te vois encore avec la pauvre Camille à l'Hôtel Tivoli. J'ai même conservé un dessin de cette époque qui vous montre sur la plage. On y voit trois femmes en blanc encore jeunes. Deux d'entre elles ont été emportées par la mort, ma pauvre Marie-Anne et ta femme . . . le petit Jean joue dans le sable, et son papa est assis, un carton à dessin à la main.» Cette vie commune est réveillée dans une série de tableaux intitulée *Sur la Plage de Trouville* (repr. p. 47) dont l'audacieuse et généreuse facture aux épais traits de pinceau fait penser à Courbet.

Le 19 juillet 1870, la France déclara la guerre à la Prusse, et Bazille s'engagea volontairement dans l'armée. Cette décision devait lui coûter la vie. Le 2 septembre de la même année, les Français capitulèrent à Sedan, et Napoléon III fut fait prisonnier par les Prussiens. La France proclama la république sous Adolphe Thiers. Comme le Havre était une importante base stratégique, la situation s'y aggrava de plus en plus à partir du mois d'octobre, si bien que Monet décida d'émigrer dans la métropole anglaise comme d'autres artistes l'avaient fait avant lui.

Sur la Plage de Trouville, 1870
Huile sur toile, 38 x 46 cm
W.I. 158
Londres, The National Gallery

En raison des nombreux refus au Salon, Monet avait dû reconnaitre que cette exposition n'était pas l'endroit idéal pour présenter sa nouvelle conception de la peinture – qui se manifestait depuis la fin des années 60. Il abandonna désormais les portraits de grandes dimensions ou presque grandeur nature comme *Camille* et *Madame Gaudibert*, réalisés sur commande ou directement conçus pour le Salon. Il n'y revint que beaucoup plus tard, par exemple dans *La Japonaise* (repr. p. 86), mais il manque à ces œuvres tardives la force caractéristique des premiers portraits.

Monet se tourna désormais,à de rares exceptions près, vers la peinture de paysage où les grandes nouveautés impressionnistes des années 70 furent tout particulièrement exprimées. *Les Femmes au jardin*, *Au Bord de l'eau, Bennecourt* et *La Grenouillère* caractérisent les endroits historiques à partir desquels Monet a suivi sa propre voie et est parti à la recherche d'une nouvelle technique dépassant Manet et Courbet. Elle englobait leur nouvelle compréhension de la réalité, mais partait nécessairement du travail en plein air. Elle ouvrit donc de nouveaux domaines et aspects de réalité qui comprenaient non seulement les nouveautés de la grande ville moderne, mais supposaient aussi une conception du paysage qui fut trouvée de manière exemplaire dans l'Ecole de 1830. Les impulsions décisives pour une confrontation modifiée avec la nature, différente de la peinture conventionnelle, étaient parties de la peinture de paysage anglaise et hollandaise. Le séjour forcé qu'effectua Monet en Angleterre et en Hollande en 1870/71 à cause de la guerre fut donc aussi important pour lui.

Séjours en Angleterre et en Hollande 1870–1871

«En 1870, nous nous enfuîmes à Londres», raconta Monet. «Pissarro, Boudin et moi allions souvent dans un café fréquenté par des Français. Daubigny y venait de temps en temps. Il comprit que nous étions frères par l'esprit et voulut voir notre peinture. Puis il s'enthousiasma et nous assura, à Pissarro et à moi, qu'il nous soutiendrait. ‹Je vous enverrai un marchand›, dit-il . . . Effectivement, le Père Durand, qui avait transféré son magasin en Angleterre pendant la guerre, ne tarda pas à arriver . . . Sans Durand, nous serions morts de faim, nous les impressionnistes. Nous lui devons tout. Il était tenace et luttait opiniâtrement, il a plus d'une fois risqué la ruine pour nous soutenir.» La rencontre avec Paul Durand-Ruel ne fut pas d'une importance capitale pour le seul Monet. Durand-Ruel, qui avait jusque-là représenté la peinture de l'Ecole de 1830 avec engagement et réalisme, parla désormais aussi en faveur du groupe autour de Monet qu'il considérait comme le chef de file d'un nouveau mouvement. Sa galerie parisienne, qui était située de 1869 à 1924 au n° 16, rue Laffitte, au coin du n° 11, rue Peletier, fut pendant les années suivantes un lieu de transbordement de l'art impressionniste. Outre les toiles de l'Ecole de Barbizon, les toiles des impressionnistes tardifs étaient représentées dans sa filiale londonienne ouverte depuis décembre 1870. Monet s'installa tout d'abord avec Camille et Jean au centre de la ville, à Piccadilly Circus, puis emménagea à Kensington au début de l'année suivante. Couchée sur le sofa, Camille lui servit de modèle pour un intérieur (repr. p. 48) dont l'atmosphère intime est proche des œuvres de James Whistler, par exemple du *Portrait de la mère de l'artiste* (1871; Paris, Musée d'Orsay). Monet connaissait bien Whistler et ses œuvres. Bien que Londres lui offrit un grand nombre de nouveaux motifs, les mois qu'il y passa furent peu productifs, ce que prouve le petit nombre de vues de la Tamise (repr. p. 51), de Green Park et de Hyde Park. Il n'a reconnu le charme spécifique de Londres que plus tard. Par ailleurs, ces travaux sont beaucoup moins progressistes que ceux des années précédentes.

Méditation, Madame Monet au canapé,
1871
Huile sur toile, 48 x 75 cm
W.I. 163
Paris, Musée d'Orsay

Comme ses sujets sont différents de ceux de Pissarro, on peut supposer qu'ils n'ont pas travaillé ensemble. Les visites communes dans les musées londoniens et la rencontre avec la peinture de paysage anglaise de la fin du XVIIIe siècle et du début du XIXe siècle, qui avait amené le début d'une peinture de paysage moderne par une nouvelle sensibilité à l'égard de la nature, avaient une plus grande importance; le rapport avec le paysage hollandais du XVIIe siècle à également joué un rôle. Outre John Constable, William Turner est l'un des plus importants représentants de cette nouvelle vision de la nature. Dans ses vues de nuages (Victoria and Albert Museum), Constable s'intéresse avant tout aux modifications passagères de la lumière. Il fut l'un des premiers à renoncer au coloris sombre et à la composition artificielle qui avaient longtemps dominé la peinture de salon conventionnelle de cette thématique. Ses paysages réalistes baignés de lumière comme *Prairies vers Salisbury* (1829/30; Londres, Victoria and Albert Museum), où la couleur devient le protagoniste de la lumière et des atmosphères, peuvent absolument se montrer parallèlement à l'art de Daubigny et de Monet.

La confrontation avec les travaux de Turner à la National Gallery ouvrit également de nouvelles perspectives. Dans ses paysages de brouillard, Turner montre une dématérialisation des figures, une dissolution de la forme par la lumière colorée qui fait songer à la série des *Cathédrales de Rouen* (repr. p. 172/173) que Monet peindra par la suite. Pour Turner aussi, la transformation du paysage à divers moments de la journée ou sous différentes conditions climatiques était hautement intéressante. Du fait de son observation intensive de la nature, il devint un maillon décisif dans le développement vers la peinture impressionniste. On peut dire qu'il fut l'un des premiers peintres impressionnistes, car pour lui, l'impression devenait l'impulsion essentielle. Monet a toujours refusé la comparaison avec ce peintre, mais ses tableaux parlent leur propre langage. Toujours est-il que Pissarro déclara: «. . . nous allions aussi dans

William Turner
Yacht s'approchant de côte,
vers 1838–1840
Huile sur toile, 102 x 142 cm
Londres, The Tate Gallery

La Tamise et le Parlement, 1871
Huile sur toile, 47 x 73 cm
W.I. 166
Londres, The National Gallery

les musées. Nous étions surtout étonnés par les paysagistes qui étaient si proches de pour ce qui est de la lumière, de l'air et des changements atmosphériques passagers (effets).» Turner et Constable contribuèrent sans aucun doute au développement de l'impressionnisme; néanmoins, ils accélérèrent seulement un processus qui s'était déjà mis en marche et confirmèrent Monet et Pissarro dans leur conviction que le chemin qu'ils prenaient était le bon.

Les maigres informations qui parvenaient de France à Monet étaient mauvaises. Son père était mort le 17 janvier, peu après son mariage avec sa maîtresse Amande Célestine Vatine, à cause de leur fille Marie. De plus, Paris avait été pris par les troupes allemandes en janvier. Elles s'étaient logées dans la maison de Pissarro à Louveciennes et avaient détruit une grande partie des tableaux déposés par Pissarro et par Monet. Pour Pissarro, cela signifiait la perte de la majeure partie du travail qu'il avait réalisé en l'espace de quinze ans. L'insurrection de la Commune de Paris commença en mars, presque en même temps que la fin de la guerre et la signature du traité de paix de Versailles. Sa répression sanglante par le gouvernement républicain de Thiers en mai 1871 fut un coup dur pour les émigrants, car ils avaient mis de grands espoirs dans le mouvement social et progressif qui y était lié. Une deuxième vague d'émigrants déborda en Angleterre. Ce mois-là, Monet quitta Londres pour la Hollande où il s'installa avec Camille et Jean dans le Nord, à

Zaandam, à mi-chemin entre Haarlem et Amsterdam. La mort de son père lui avait rapporté un petit héritage, et Camille donnait des cours de conversation française aux jeunes demoiselles de cette petite ville industrielle en plein essor, si bien que les soucis financiers n'étaient pas très grands. Monet était enthousiasmé par les Pays-Bas, les couleurs nourries et les nouveaux motifs, en particulier par Zaandam: «Nous avons traversé presque toute la Hollande et il m'a effectivement semblé que ce que je voyais était encore plus beau que ce qu'on en dit . . . Zaandam est réellement charmant, et il y a suffisamment ici pour peindre toute une vie durant . . . des maisons de toutes les couleurs, quantité de moulins et de bateaux ravissants.» Ses études, généralement de petit format, montrent le port, la digue, les moulins, les bateaux, les quais, donc tous les motifs préférés de Monet déterminés par l'eau. Tous les tableaux permettent de reconnaître un style rapide, schématique et vague, de sorte que ce sont moins ses travaux peints en Hollande que certaines marines de Rouen et d'Argenteuil qui témoignent de son intérêt pour le paysage hollandais du XVIIe siècle. Mais ces tableaux baignés de lumière et d'air montrant un ciel serein ou plein de nuages orageux, présentent des observations atmosphériques semblables à celles que l'on trouve chez les Hollandais.

La Hollande est vraiment liée de multiples façons aux pré-impressionnistes et aux impressionnistes, et ce, aussi bien par l'in-

A GAUCHE:
Moulin à Zaandam, 1871
Huile sur toile, 48 x 73,5 cm
W.I. 177
Collection particulière

A DROITE:
Moulin à Zandaam, 1871
Dessin au crayon, 20 × 41 cm
Collection particulière

Jacob van Ruysdael
Le Moulin de Wijk à Duurstede, env. 1670
De Molen bij Wijk bij Duurstede
Huile sur toile, 83 x 101 cm
Amsterdam, Rijksmuseum

Le Port de Zaandam, 1871
Huile sur toile, 47 x 74 cm
W.I. 188
Collection particulière

fluence historique que par les contacts personnels entre les artistes hollandais et les artistes français. Les romantiques français comme Delacroix s'étaient déjà enthousiasmés pour l'art hollandais. Ce fut toutefois la peinture de paysage hollandaise du XVIIe siècle, et surtout celle de Salomon van Ruysdael et Meindert Hobbema, qui intéressa le mouvement pré-impressionniste. Les peintres autour de l'Ecole de Barbizon comme Corot, Troyon, Narcisse Diaz ou Daubigny s'y sont spécialement référés en copiant leurs œuvres au Louvre. Pour sa part, Monet a accordé toute sa vie un grand rôle à l'Ecole de Barbizon et en particulier à Corot et à Daubigny.

Depuis 1830, Barbizon était un pôle d'attraction pour les paysagistes indépendants qui s'étaient détournés du paysage italien classique à l'exemple des Hollandais du XVIIe siècle. Ce paysage était composé dans l'atelier selon des règles idéales strictes et souvent rehaussé intellectuellement par des rapports allégoriques, mythologiques ou historiques. Car la peinture de paysage pure, qui ne présentait pas ce genre de rapports, était considérée dans la conception académique, comme étant moins noble du fait qu'elle partait d'impressions sensibles et que l'artiste y participait clairement par les sentiments qu'il projetait. L'académie représentait toutefois pour la peinture le désir d'érudition, si bien que la peinture historique de la première moitié du XIXe siècle était en grande partie déterminante au Salon. Le prix institué au Salon de 1817 pour le genre de la peinture de paysage et les théories du paysage de Pierre Henri Valenciennes et de Jean-Baptiste Deperthes («Theorie du paysage», 1818) apparues vers 1820, n'y avaient pas changé grand-chose, car ils apportaient tout simplement une contribution aux classifications de la peinture de paysage existant déjà de la théorie académique.

Dans cet enseignement, la peinture de paysage pure était considérée comme dangereuse, car elle accorde une trop grande liberté à la subjectivité et à la fantaisie de l'artiste. Des valeurs telles que la liberté ou la fantaisie avaient déjà été attaquées dans la peinture romantique française d'un Delacroix. La réaction fut que la nature authentique et intacte des peintres de Barbizon devint le symbole de la liberté. Ils voulaient, en se souvenant des acquisitions de la peinture de paysage hollandaise bourgeoise, rendre l'impression de la nature directement observée et individuellement ressentie; et comme ils se confrontèrent par la suite aux changements atmosphériques dans la nature, la lumière et la couleur devinrent les facteurs décisifs de leur peinture. Afin de pouvoir représenter la nature de manière authentique et conforme à la réalité, ils travaillaient beaucoup en plein air. Leurs motifs simples, tels que la lisière de la forêt, les marais, les villages, les moulins à vent et à eau, les bateaux, les ports ou les paysages fluviaux, font penser aux Hollandais du XVIIe siècle et annoncent aussi le paysage impressionniste ultérieur. Chez Daubigny, qui exerça une grande influence sur Monet, l'action hollandaise est le plus sensible dans sa préférence pour les représentations de bords de rivière et de barques. Comme Monet, il séjourna en Hollande après la guerre franco-allemande.

Zaandam, 1871
Huile sur toile, 48 x 73 cm
W.I. 183
Paris, Musée d'Orsay

A son retour de Hollande, Monet s'installa pour quelque temps à Paris, à l'automne 1871, et loua une chambre d'hôtel près de la gare Saint-Lazare; son atelier était à quelques pas. Boudin, qui vivait près de là, se rendait souvent chez les Monet où il était le bienvenu. L'un des thèmes de conversation était certainement Courbet qui était incarcéré à Sainte-Pélagie. En avril 1870, Courbet avait été nommé délégué des Beaux-Arts par la Commune. La colonne Vendôme, symbole de la monarchie haïe, fut renversée le 16 mai. Après la chute de la Commune, Courbet fut emprisonné et condamné à six mois de prison et à une peine d'argent, car on l'accusait d'être responsable de la destruction. Alors que la plupart des artistes s'étaient détournés de lui, Monet lui rendit visite en prison avec Boudin en janvier 1872. Ce fut la dernière rencontre des deux peintres avant que Courbet ne s'expatrie en Suisse en 1873.

Monet rapporta à Paris plus de 20 paysages de Hollande. De par leur style, leur format moyen, leur facture spontanée, la composition libre et la conception du tableau en tant que tout, ils servent de lien entre les études de la Seine vers la Grenouillère et celles d'Argenteuil peintes entre 1872 et 1878. Boudin fut enthousiasmé lorsqu'il les vit à Paris au retour de Monet: «Il a rapporté de Hollande des études incroyablement belles, et je crois qu'il a ce qu'il faut et sera un jour à la tête de notre mouvement.» La prédiction de Boudin devait se confirmer au cours des années suivantes.

Maisons au bord de la Zaan à Zaandam, 1871
Huile sur toile, 47,5 x 73,5 cm
W.IV. 185
Francfort, Städelsches Kunstinstitut

Argenteuil 1872–1878
Le nouveau mouvement reçoit un nom

Les années passées à Argenteuil sont non seulement le moment culminant de l'impressionnisme, mais aussi la phase créatrice centrale de Monet. Pendant cette période, il reprit la thématique champêtre des années 60, en attachant davantage d'importance aux changements atmosphériques, au mouvement et aux phénomènes visuels. S'il était toujours installé en des endroits différents au cours des neuf années passées, il se mit alors à travailler en un seul endroit, pour la première fois pendant longtemps – six ans. Seules quelques visites éclair à Rouen, Paris, Amsterdam et sur la côte normande l'éloignèrent d'Argenteuil. Pendant cette période, Monet fut extraordinairement productif, car il réalisa plus de tableaux qu'au cours des treize années précédentes. La localité et les environs lui fournirent suffisamment de motifs favoris: ponts, bateaux, ville et nature, scènes familiales dans la maison et dans le jardin.

Il est possible que Monet ait choisi Argenteuil comme nouvelle résidence sur le conseil de Manet. Manet était en bons termes avec l'influente famille Aubry qui y habitait et était prête à louer une maison à Monet. Ce premier domicile se trouvait près de la gare, au n° 2, rue Pierre Gienne. *Les Lilas, temps gris* (repr. p. 59) ont été réalisés dans ce jardin au printemps 1872. Monet ne tarda toutefois pas à aller s'installer dans une autre maison toute proche, dans la rue Saint-Denis. Argenteuil était seulement à deux kilomètres de la gare Saint-Lazare à Paris, sur la rive droite de la Seine. Avec le rattachement au chemin de fer, une nouvelle phase avait commencé dans l'histoire de cette petite ville de province qui comptait 8000 âmes dans les années 50. Les trains qui venaient de Paris d'heure en heure amenaient à Argenteuil non seulement davantage de personnes ayant besoin de repos, mais aussi le progrès industriel qui fit son apparition dans cette idylle lorsque plusieurs usines y furent fondées.

L'industrialisation commençante et une nature encore intacte: tout cela se reflétait dans les œuvres de Monet. Des fumées d'usine montrant les traces de cette nouvelle évolution apparaissent néanmoins, comme dans *La Promenade d'Argenteuil* (repr. p. 63), en tant qu'élément agréable dans le paysage. Dans ces tableaux, Monet fête le progrès comme une nouvelle religion où l'être humain et l'industrie

Le Boulevard des Capucines, 1873
Huile sur toile, 80 x 60 cm
W.I. 293
Kansas City (Mo.), The Nelson Atkins Museum of Art, acquis avec les fonds de la fondation Kenneth A. et Helen F. Spencer (F 72-35)

collaborent au bien-être de l'humanité. Ce n'est pas par hasard qu'il s'intéressait aux publications du critique social français Claude Henri de Rouvroy, Comte de Saint-Simon, pour lequel la science et l'industrie étaient les piliers d'un monde nouveau. Néanmoins, on n'a pas connaissance d'un engagement politique qu'aurait eu Monet. Ses représentations d'usines, de trains, de gares ou de ponts de chemin de fer modernes reprenaient uniquement des phénomènes de la vie moderne et correspondaient donc au recours au réalisme qui distinguait Monet et ses confrères depuis les années 60.

Toutefois, Monet se retirait souvent dans des endroits absolument solitaires sur la rive droite de la Seine où le Petit-Bras entourait la petite île Marante dont les hauts peupliers étaient visibles de loin. *Le Petit-Bras d'Argenteuil* (repr. p. 60) est une reproduction très précoce de ce motif, exécutée pendant les premiers jours du printemps 1872. Au début du mois de mars, Monet se rendit à Rouen où vivait son frère Léon et où il voulait participer à une exposition. Pendant son séjour, il peignit dans le quartier industriel de Rouen *Le Ruisseau de Robec (Rouen)* (repr. p. 61). On voit en outre la Seine, derrière laquelle surgit la silhouette de Rouen avec sa cathédrale. Monet limita l'éventail de ses thèmes et se tourna de préférence vers la Seine à Argenteuil, comme dans *Le Bassin d'Argenteuil* (repr. p. 62), *Vu de la plaine d'Argenteuil, coteaux de Sannois* (repr. p. 63), les *Régates à Argenteuil* (repr. p. 67) et *La Fête d'Argenteuil* (repr. p. 66), depuis son retour de Rouen jusqu'à la fin de l'année 1872. Ces tableaux d'Argenteuil et des environs varient considérablement dans leur facture, de sorte que la diversité est leur caractéristique spécifique. Un trait de pinceau complexe suit une application plate non modelée, les couleurs sereines et mates alternent avec les tons pastel et les reliefs pleins de vie. Dans les *Coteaux de Sannois*, Monet représente un panorama d'Argenteuil qui se dessine au loin, comme il s'offrait aux deux promeneurs qui semblent se fondre avec la végétation environnante à cause de la distance. Les bouquets d'arbres équilibrés à droite et à gauche et l'horizon qui commence au milieu du tableau donnent à cette vaste composition sa teneur paisible et harmonieuse. Ici aussi, la touche n'offre pas de reproduction différenciée des sujets représentés, de sorte que seule la couleur permet de les distinguer.

Les vues d'Argenteuil peintes par Monet comme, entre autres, *La Fête d'Argenteuil* (repr. p. 66) rendent aussi le côté paisible et durable de la vie champêtre qui n'avait pas encore changé malgré l'industrialisation commençante. A ceci, s'opposait le changement novateur de la physionomie parisienne sous le préfet Georges Eugène Haussmann. Des quartiers, qui s'étaient développés au cours des siècles avec leurs rues et ruelles sinueuses, avaient été démolis dans les années 50 pour faire place à de larges et somptueux boulevards et avenues. Ceci se fit aussi parce qu'il était ainsi plus facile pour l'Etat de maîtriser la situation en cas d'épidémie, de guerre civile et de barricades, mais entraîna l'expulsion des anciens habitants dans les banlieues. Les quartiers parisiens perdirent leur aspect

Les Lilas par temps gris, 1872
Huile sur toile, 50 x 65 cm
W.I. 203
Paris, Musée d'Orsay

spécifique. La porte avait été ouverte à la spéculation à tous égards, et la nature inhumaine de la grande ville monstrueuse montra son visage. On vit naître de luxueux grands magasins comme le célèbre Bon Marché en 1876, des passages, des halls d'exposition, des panoramas où les flâneurs de la métropole étaient à leur aise. Lors de l'Exposition universelle de 1867, cette culture orientée sur le capital connut son plus brillant épanouissement. L'Empire était à son apogée et Paris se confirmait comme capitale du luxe et de la mode. Dans ce monde, la sécurité et la réussite n'étaient plus traditionnellement assurés, le profit et la concurrence devinrent les nouvelles forces motrices.

Les boulevards et les avenues devinrent l'un des motifs favoris de la peinture impressionniste en tant que reflets de l'atmosphère de la grande ville agitée et scintillante. Bien que la grande ville sous cette forme exerçât aussi une fascination particulière sur Monet, il conserva néanmoins une certaine distance par rapport à elle. Mais la vue sur le paysage d'Argenteuil demeura aussi celle d'un observateur qui prend ses distances; Monet ne décrivit par exemple jamais

Le Petit-Bras d'Argenteuil, 1872
Huile sur toile, 53 x 73 cm
W.I. 196
Londres, The National Gallery

les peines de la population de la campagne. Cette tendance à la limitation ou même à la solitude n'est pas seulement visible dans les nombreux fragments de nature intacte. Dans *La Fête d'Argenteuil* (repr. p. 66), le peintre place entre le groupe compact des fêtards et lui un espace vide qui impose la distance. Le caractère solennel de la scène est souligné par la rangée de drapeaux et les constructions sur la droite ainsi que par les multiples coiffes blanches étincelantes et chapeaux noirs. La technique est par endroits si libre que le ciel est seulement ébauché à l'aide de touches rapides.

La vue sur *Le Boulevard des Capucines* (repr. p. 56), à Paris, que Monet a peinte depuis l'atelier du photographe Nadar met également une distance entre l'observateur et l'évènement. Elle correspond à la vue qui s'offrait, depuis un balcon en hauteur, rue Daunou, aux figures avec haut-de-forme, à droite sur le tableau. L'agitation sur le boulevard, les allées et venues, le mouvement des flâneurs et des calèches n'apparaissant plus que comme touches de couleur depuis le haut, opèrent par la reproduction vague comme une photographie de mouvement où les contours s'estompent. Effectivement, la photographie, qui était à l'époque une nouveauté, exerçait à cet égard une grande influence sur les peintres indépendants et particulièrement sur Degas. Le tableau semble fixer un instant qui disparaît. Comme notre perception présente est habituée au changement permanent par le mouvement, la conception de Monet semble très proche de la réalité. Le critique Louis Leroy, qui vit l'œuvre à l'occasion de la première Exposition impressionniste, la tourna en dérision dans un entretien fictif à cause de ces mêmes propriétés: «‹C'est vraiment extraordinaire! Si cela n'est pas une impression, je ne sais pas ce que le mot pourrait bien vouloir dire. Mais soyez

Le Ruisseau de Robec (Rouen), 1872
Huile sur toile, 50 x 65 cm
W.I. 206
Paris, Musée d'Orsay

assez aimable pour m'expliquer ce que signifient toutes ces petites taches noires, là en bas?› ‹Ce sont des passants qui se promènent.› ‹Ah! ah! c'est donc ce que je vois en me promenant sur le Boulevard des Capucines. Fichtre! Voulez-vous vous moquer de moi? . . . Ces mouchetures ont été réalisées de la façon dont on imite le marbre: en faisant des taches comme elles viennent. C'est incroyable, affreux! C'est à vous donner une attaque d'apoplexie.›»

Les critiques conservateurs reprochaient continuellement aux œuvres impressionnistes d'être trop inachevées, trop vite peintes et d'être au mieux des études préliminaires, car elles se basaient sur les règles de l'esquisse; ils exprimèrent ce reproche une fois de plus. Comme dans cette œuvre l'impression d'ensemble se trouve au premier plan, conformément à l'esquisse, Monet put renoncer dans une grande mesure au principe intellectuel de l'ordre de la perspective avec laquelle la perception est orientée vers un point fixe. La vue devient large et étendue, les choses lointaines et proches apparaissent simultanément sans séparation dans l'espace. Ainsi, dans le *Boulevard*, malgré l'agencement oblique des arbres, l'espace est formé par les liens atmosphériques des choses, l'«enveloppe» colorée, et la perspective est réduite à des relations colorées. La tonalité retenue et la brume bleu-violet transmettent merveilleusement l'atmosphère d'un frais jour de printemps, mais aussi un continuum d'espace, une idée de lointain.

La rapide fixation de ce qui a été vu, qui néglige obligatoirement le détail et contribue à la division de la forme, correspond dans la peinture impressionniste ainsi que dans l'esquisse académique en plein air à l'effort de vérité vis-à-vis de l'impression directe de la nature. Si l'on voulait fixer les conditions d'éclairage éphémères

REPRODUCTION PAGE 62 EN HAUT:
Le Bassin d'Argenteuil, 1872
Huile sur toile, 60 x 80,5 cm
W.I. 225
Paris, Musée d'Orsay

REPRODUCTION PAGE 62 EN BAS:
La Seine à Argenteuil, 1873
Huile sur toile, 50,5 x 61 cm
W.I. 198
Paris, Musée d'Orsay

REPRODUCTION PAGE 63 EN HAUT:
La Promenade d'Argenteuil, 1872
Huile sur toile, 50,4 x 65,2 cm
W.I. 223
Washington (D.C.), National Gallery of Art, collection Ailsa Mellon Bruce

REPRODUCTION PAGE 63 EN BAS:
Vue de la plaine d'Argenteuil, coteaux de Sannois, 1872
Huile sur toile, 52 x 72 cm
W.I. 220
Paris, Musée d'Orsay

Claude Monet

Claude Monet

d'un effet, il fallait travailler rapidement. Le peintre académique traditionnel ne pouvait toutefois pas en rester à une peinture essentiellement basée sur le vécu et donc aussi sur la couleur. Il y voyait un manque décisif d'expression qui était pour lui lié à l'art des idées et partait du dessin. Selon une conception provenant des académies de la Renaissance, la peinture devait être intellectuelle, et cela ne semblait être le cas que lorsque le dessin et non la couleur opérant par l'intermédiaire des sens se trouvait au premier plan.

Ce point de vue trouva son représentant le plus déterminé au début du XIXe siècle en la personne du peintre néo-classique Jean Auguste Dominique Ingres. On séparait le processus artistique en esquisse, qui était réalisée d'abord, et en élaboration, qui devait être faite dans l'atelier. La perspective, les formes claires et linéaires, le clair-obscur, le modelé des couleurs avec le noir et le blanc étaient les conditions préalables décisives. On en tire les critères de la critique conservatrice des œuvres impressionnistes. On critiquait non seulement l'élaboration formelle manquante, la planéité, mais avant tout la tâche du traditionnel clair-obscur en faveur d'une structure de tableau par la seule couleur. Chez les impressionnistes, les ombres n'étaient plus vues comme des surfaces sombres, mais contenaient les tons complémentaires respectifs dans de multiples modulations. Bien qu'il ne soit pas absolument exact que les impressionnistes, Monet en tête, aient renoncé aux tons bruns et au noir, c'est cependant cette innovation, la palette claire et lumineuse, qui caractérise les œuvres de leur moment culminant. En font partie, pour une large part, les représentations de canots et de régates vers lesquelles se tournèrent non seulement Monet, mais aussi Sisley, Renoir et Gustave Caillebotte entre 1873 et 1875.

Depuis le début du XIXe siècle, les régates avaient trouvé des adeptes cherchant à se distraire d'un quotidien toujours plus marqué par l'industrialisation. L'idée que l'activité sportive devait contribuer au renouvellement de la puissance et à la régénération était également actuelle. Ceci était naturellement de plus en plus valable pour les Parisiens qui fondèrent à Argenteuil des clubs de régates et y organisèrent des concours à partir de 1850. Les régates et Argenteuil allaient de pair dans les années 70. En tant que thématique contemporaine d'une «modernité» marquant la vie d'Argenteuil, elles exerçaient une fascination particulière sur Monet. Beaucoup de ses motifs ont été directement réalisés à partir d'un bateau-atelier qu'il avait acheté à l'époque: «J'ai créé mes premières scènes de bateaux d'Argenteuil à partir de mon atelier. De là, je pouvais voir ce qui se passait sur la Seine à 40 ou 50 pas. Un jour, grâce à une bonne vente inattendue, je disposai de suffisamment d'argent pour m'acheter un bateau et y installer une cabine de bois assez spacieuse pour y planter mon chevalet. J'ai passé des heures inoubliables sur ce petit bateau avec Manet. Il y peignit mon portrait et moi le sien et celui de sa femme.» Manet a fixé pour la postérité cet atelier flottant à l'exemple du «Botin» de Daubigny dans le tableau *Monet peignant dans son atelier* (repr. p. 64).

Edouard Manet
Monet peignant dans son atelier, 1874
Huile sur toile, 82,5 x 100,5 cm
Munich, Neue Pinakothek

Le Bateau-atelier, 1874
Huile sur toile, 50 x 64 cm
W.I. 323
Otterlo, Pays-Bas, collection State Museum Kröller-Müller

C'est à partir de ce bateau ancré à proximité de la berge de Petit-Gennevilliers, près d'Argenteuil, que furent créées les *Régates à Argenteuil* (repr. p. 67). Le peintre Caillebotte, qui s'installa dans la région vers 1880, acheta cette œuvre. A droite, on voit les maisons de Petit-Gennevilliers. A gauche, au fond, le pont d'Argenteuil devient vaguement visible. Devant, les voiliers qui se balancent sur la Seine dans la lumière de l'après-midi jettent sur l'eau leurs longs reflets rompus. Tout comme dans *La Grenouillère* (repr. p. 43), le relief est rongé par les reflets dans l'eau, variés en forme et en grandeur. Le tableau se rattache directement à ceux qui ont été réalisés à Bougival aussi bien dans la technique que dans la liaison de la réalité avec le reflet. Dans l'exécution incroyablement légère, le mouvement de l'eau et le jeu des reflets deviennent vivants par une touche vague, abstractive. Le jeu de couleurs pures et rompues, froides et chaudes, donne au tableau une fraicheur et une luminosité incroyables. C'est là l'un des morceaux de bravoure impressionnistes de l'époque d'Argenteuil.

L'année 1872 fut non seulement créatrice, mais ce fut aussi une

La Fête d'Argenteuil, 1872
Huile sur toile, 60 x 81 cm
W.I. 241
Etats-Unis, collection particulière

bonne année du point de vue financier pour Monet. Durand-Ruel avait acheté quantité de tableaux, et ses amis et collectionneurs étaient devenus actifs. Le revenu mensuel moyen de Monet s'élevait à plus de 14 000 francs et était donc bien supérieur à celui d'un ouvrier qui devait se contenter de 10 000 francs maximum. Un changement dans le ménage d'Argenteuil était donc inévitable. Et comme Monet trouva toute sa vie durant du goût aux bons côtés de la vie bourgeoise, il occupa désormais deux domestiques et un jardinier. Les tableaux montrent eux aussi que les années allant de 1872 à 1875 furent dans l'ensemble harmonieuses et dépourvues de soucis. Mais cette nouvelle aisance était instable. Le krach boursier de 1873 et la crise économique qui s'ensuivit et dura six ans mirent Durand-Ruel en difficulté, de sorte qu'il dut cesser pour un temps d'acheter des œuvres impressionnistes, ses entrepôts étant pleins à craquer. Il fut donc nécessaire de chercher de nouveaux contacts. C'est à cette époque que Monet fit la connaissance du critique d'art et collectionneur Théodore Duret qui s'intéressait à la nouvelle peinture indépendante depuis 1870, parlait désormais avec véhémence en sa faveur dans ses critiques et commençait à collectionner des œuvres impressionnistes. Le livre qu'il a publié en 1878 au sujet des peintres impressionnistes le prouve brillamment. Monet trouva en Duret un ami qui le soutint dans les situations financières les plus difficiles. De la même façon, les autres peintres impression-

Régates à Argenteuil, 1872
Huile sur toile, 48 x 75 cm
W.I. 233
Paris, Musée d'Orsay

nistes, comme Renoir et Pissarro, surent apprécier la serviabilité de Duret.

Le profond bonheur des années d'Argenteuil est exprimé dans les paysages fluviaux ensoleillés, mais aussi dans les représentations affectueuses de Camille (*La Capeline rouge, Portrait de Madame Monet* (repr. p. 68) et de la famille (*Le Déjeuner*, repr. p. 68/69). *Le Déjeuner* est l'un des rares grands formats depuis 1870. Le charme de cette œuvre tient surtout à la banalité et au caractère intimiste de la composition. Dans le jardin de la maison Aubry à Argenteuil, Jean, le petit garçon de Monet, apparaît au premier plan à gauche, Camille au fond. La table dressée, un chapeau oublié dans les branches de l'arbre et l'enfant totalement absorbé par son jeu font penser que le repas vient juste de se terminer. Au-dessus du premier plan qui se trouve à l'ombre, le regard est attiré par le chemin de graviers, inondé de soleil, et les bordures de fleurs au centre du tableau; un effet spatial est donc obtenu en superposant des surfaces. La mise en scène de Monet fait penser aux compositions apparentées et aux thèmes des «intimistes» Pierre Bonnard et Edouard Vuillard.

Le paysage fleuri baigné de lumière solaire des *Coquelicots à Argenteuil* (repr. p. 70/71) fournit une atmosphère tout aussi gaie et insouciante. Les promeneurs qui flânent dans cette idylle semblent se fondre dans la nature environnante, et le poids de la représentation est donc fortement concentré dans les taches de couleur d'un rouge

La Capeline rouge, Portrait de Madame Monet, 1873
Huile sur toile, 100 x 80 cm
W.I. 257
Cleveland (Ohio), The Cleveland Museum of Art, legs Leonard C. Hanna, Jr. 58.39

Le Déjeuner, 1873
Huile sur toile, 160 x 201 cm
W.I. 285
Paris, Musée d'Orsay

Claude Monet

Les Coquelicots à Argenteuil, 1873
Huile sur toile, 50 x 65 cm
W.I. 274
Paris, Musée d'Orsay

chaud, presque abstraites des coquelicots qui se détachent nettement du fond vert pâle complémentaire. Une fois de plus, on voit que la confrontation de Monet avec les phénomènes de l'effet des couleurs résulte de son observation intensive de la nature et ne se base pas systématiquement, comme on l'a si souvent affirmé, sur sa connaissance des théories de la couleur du XIXe siècle. Monet s'était retiré du Salon et ne soumit pas de toiles en 1872 et 1873. Cette année-là, Manet fut le seul peintre indépendant accepté par le jury. Tandis que son *Bon Bock* (1873; Philadelphie, Philadelphia Museum of Art) remportait un grand succès au Salon, ses confrères critiquèrent la conception démodée de l'œuvre. On vit là comment il fallait s'adapter au goût officiel pour être accepté au Salon. Monet et ses amis n'étaient toutefois plus disposés à faire des concessions.

Le nombre des refus était considérable; il concernait non seulement des artistes indépendants comme Renoir, Sisley, Pissarro, Jongkind et Daubigny, mais aussi des peintres conventionnels. Pour faire face à d'intenses protestations, il fallut donc créer à nouveau un «Salon

Le Jardin de Monet à Argenteuil (Les Dahlias), 1873
Huile sur toile, 61 x 82 cm
W.I. 286
Collection particulière

La Maison de l'artiste à Argenteuil, 1873
Huile sur toile, 60,2 x 73,3 cm
W.I. 284
Chicago, The Art Institute of Chicago, collection M. et Mme Martin A. Ryerson, 1933.1153

des Refusés» suivant celui de 1863. Il fut installé dans une baraque de bois provisoire derrière le Palais de l'Industrie et recelait tant d'œuvres médiocres que le jugement du jury du Salon fut encouragé à tous égards. Le résultat de l'exposition était donc décevant. Ceci donna de nouveau aux artistes indépendants autour de Monet l'occasion de reprendre la discussion relative à leur initiative d'exposition. Cette idée existait depuis longtemps déjà. Bazille l'avait reprise en 1867 et c'était le sujet de conversation du Groupe des Batignolles depuis 1870. Comme les artistes de ce groupe avaient entre-temps atteint une certaine maturité picturale et comme Durand-Ruel ne pouvait plus acheter à cause de la mauvaise conjoncture, il leur sembla donc judicieux de devenir actifs eux-mêmes. On voulait en outre présenter au public plus de deux toiles, comme au Salon.

La réalisation de cette association fut accompagnée d'innombrables querelles et difficultés. Monet souhaitait seulement quelques membres pour fixer avant tout les buts. Degas, par contre, voulait la collaboration de nombreux artistes pour ne pas effrayer le public par un petit groupe radical. La première exposition collective devait en outre être ouverte avant le Salon pour ne pas être mal comprise comme une sorte de «Salon des Refusés». Manet renonça à y participer, car il ne voulait pas mettre en jeu ses succès au Salon. Courbet se trouvait déjà en exil en Suisse et Jongkind était trop pris par ses problèmes personnels pour apporter son concours. Le 23 décembre 1873, la fondation de la «Société anonyme coopérative d'artistes peintres, sculpteurs, graveurs» était chose décidée. Monet séjourna entre autres au Havre et à Amsterdam pendant les mois d'hiver jusqu'à la réalisation de la première exposition.

Nature morte au melon, 1872
Huile sur toile, 53 x 73 cm
W.I. 245
Lisbonne, Fundação Museu
Calouste Gulbenkian

Le 15 avril 1874, on put montrer les œuvres de trente artistes indépendants dans les huit salles du photographe Nadar, Boulevard des Capucines. Outre de nombreux artistes aujourd'hui oubliés à tort, Monet, Boudin, Cézanne, Degas, Pissarro, Renoir, Sisley, Gautier, Berthe Morisot et Félix Bracquemont étaient présents. L'exposition dura un mois, jusqu'au 15 mai. Le journaliste Edmond Renoir, un frère du peintre, s'était chargé du catalogue. Monet était représenté par neuf tableaux: outre trois pastels et une vue du port du Havre, le champ de *Coquelicots* (repr. p. 70/71), *Le Boulevard des Capucines* (repr. p. 56) et *Impression, soleil levant* (repr. p. 77). L'exposition attira 3500 personnes, mais souleva sarcasmes et quolibets auprès des visiteurs et de la presse conservatrice. Il y eut des critiques enthousiastes surtout dans le cercle d'amis des artistes.

La critique de Louis Leroy, un écrivain qui peignait aussi des paysages, est devenue célèbre. Le 25 avril 1874, il raconta dans la feuille satirique «Charivari» sous le titre «Exposition des impressionnistes» un entretien fictif entre deux visiteurs: «Ah! le jour où j'osai me rendre à la première exposition du boulevard des Capucines en compagnie du paysagiste Joseph Vincent fut une journée fatigante. Il y était allé ne pressentant rien de mal. Il croyait y trouver des bonnes et des mauvaises peintures, plutôt des mauvaises que des bonnes, mais pas de tels manquements à l'art, aux anciens maîtres et à la forme. Eh oui, la forme et les maîtres! Ils ont fait leur temps, mon pauvre ami! Nous y avons veillé! . . . Il était réservé à Monet de lui porter le dernier coup. ‹Ah, le voilà›, dit-il devant le tableau n° 98. ‹Evidemment le préféré de papa Vincent! Mais qu'est-ce qu'il représente? Regardez dans le catalogue.› ‹Impression, soleil levant›, dis-je. ‹Impression, je le savais bien; car je suis impressionné, il doit donc s'agir d'une impression . . . Quelle liberté! Quelle légèreté dans le travail! Un papier peint à l'état primitif est plus élaboré que cette marine!« Le titre du tableau de Monet mis dans le catalogue d'exposition par Renoir devait bientôt donner son nom à la peinture du groupe. Leroy se vanta par la suite – après que le style impressionniste eût été reconnu par tous – d'avoir donné son nom à ce mouvement.

La toile *Impression, soleil levant* (repr. p. 77) avait été exécutée depuis une fenêtre pendant un séjour que Monet effectua au Havre en 1873. Le port du Havre émerge vaguement au fond dans un nuage bleu gris et orange. La lumière du soleil levant qui monte à l'horizon comme un ballon orange se reflète dans l'eau et enchante les environs dépouillés du port jusqu'à en faire une exceptionnelle apparition éphémère. Les témoins de ce spectacle naturel sont des silhouettes

Jean Monet sur son cheval mécanique,
1872
Huile sur toile, 59 x 73 cm
W.I. 238
Etats-Unis, collection particulière

dans des barques sombres qui se détachent du fond dans un effet de contre-jour. La toile est exécutée en touches très étalées, et l'impression de distance n'existe plus que grâce à l'oblique des petites barques qui oriente l'œil vers le centre de la composition. Le traitement des choses réduites à quelques traits de pinceau est incroyablement libre. Les détails semblent ne pas être à leur place à cause de la thématique d'un spectacle naturel changeant rapidement et de l'atmosphère qui en découle. Il s'agit d'une impression d'ensemble. La couleur est si légère par endroits que le fond de la toile apparait à travers; seul l'épais reflet de la lumière solaire orange-rouge se détache.

Par rapport aux *Régates à Argenteuil* (repr. p. 67), ce tableau n'est pas vraiment révolutionnaire et pas typique de l'époque d'Argenteuil, car il laisse deviner relativement peu de la nouvelle conception de la lumière et du plein air qui devait faire la célébrité de ce nouveau mouvement. Du point de vue nuances, le travail est réduit et plutôt proche de la tradition de Turner, tout en devant des stimulations aux aquarelles de Jongkind. Mais ici aussi, Monet reprend l'un de ses thèmes favoris de reflets sur l'eau à Argenteuil.

On reprocha également aux œuvres de l'exposition leur thème quotidien pour ne pas dire banal. Ceci se fit par rapport aux traitements souvent éloignés de la réalité de la peinture conventionnelle. Mais on remarqua surtout la technique de ces tableaux de format relativement petit. On les considérait comme des ébauches. Les continuels points de départ de la critique étaient la surface plane et le traitement libre divisant les formes des sujets, moins le coloris souvent extraordinairement fort et clair que le renoncement au clair-obscur modelant. Comme nous l'avons vu, on reconnaissait là chez les impressionnistes les particularités de l'ébauche qui était tout simplement le stade préliminaire de l'œuvre achevée. Le processus de l'ébauche demeurait donc visible dans ces tableaux, le fond de

Les Barques, régates à Argenteuil, 1874
Huile sur toile, 60 x 100 cm
W.I. 339
Paris, Musée d'Orsay

Impression, soleil levant, 1873
Huile sur toile, 48 x 63 cm
W.I. 263
Paris, Musée Marmottan

la toile apparaissait encore partiellement, et la touche vague uniformisante était seulement esquissée, de sorte que l'intérêt de l'observateur était orienté vers le vrai thème sur la surface du tableau. La couleur passait au premier plan, et il n'y avait plus de modelé clair-obscur au sens traditionnel.

La palette de ces tableaux était claire et lumineuse, et comme on associait la lumière claire à la lumière naturelle en plein air, l'«école des couleurs claires et lumineuses» ne fut que la suite logique. Pour parvenir à cette clarté et à cette luminosité, on travaillait beaucoup avec des contrastes de couleurs purs et violents et une peinture ton sur ton, claire, tout en dissociant les couleurs et en les appliquant séparément en touches, taches ou traits. Le fait que l'on préférât les tons clairs n'était que la conséquence logique, quoique ceux-ci ne fussent pas entièrement blancs, comme on l'a souvent affirmé. Les contours accentués étaient également absents dans ces tableaux. A la place, la figure et le fond étaient placés au moyen de contours ouverts et de couleurs apparentées. Comme on le voit dans les exemples d'Argenteuil, les formes étaient plutôt évoquées par l'action

Edouard Manet
La Famille Monet au Jardin, 1874
Huile sur toile, 61 x 99,7 cm
New York, Metropolitan Museum of Art, legs de Joan Whiney Payson, 1975 (1976.201.14)

réciproque des couleurs. Il s'ensuivit que la nature sensible des choses augmentait tandis que leur fonction structurale diminuait. Les indications d'espace étaient plus suggérées qu'atteintes par des moyens illusoires de perspective linéaire. On expérimentait ainsi la réduction des sujets et l'emploi de hautes lignes d'horizon.

Le style impressionniste ainsi défini vaut en grande partie pour tout un groupe dans les années entre 1873 et 1875 où il y eut temporairement un rapprochement dans la conception picturale et où Renoir, Sisley, Caillebotte et Manet séjournèrent à Argenteuil et travaillèrent provisoirement sur le même motif. Argenteuil marque donc le moment culminant de l'impressionnisme. Les buts des divers artistes de ce groupe étaient toutefois trop différents, car, tandis que Monet, Sisley et Pissarro se consacraient à la peinture de paysage, Degas et Renoir s'intéressaient tout particulièrement à la figure humaine, quoique pour de tout autres raisons. Il est toutefois possible de distinguer au moins deux groupes dans cette nouvelle tendance: les coloristes et paysagistes avec Monet ainsi que le cercle d'amis autour de Degas. Toutefois, le Salon qui ouvrit ses portes quinze jours plus tard déclara la lutte au mouvement.

Le bilan financier de la première exposition impressionniste était décourageant. Il parut en décembre de la même année, et chaque membre apprit qu'il devait payer 184 francs d'arriérés à la société. Pour Monet, c'était une mauvaise nouvelle, car ses recettes de 1874 étaient déjà nettement inférieures à celles de l'année précédente, à cause de mauvaises ventes. Il essaya encore plus résolument de trouver de nouveaux collectionneurs. Ceci concernait non seulement le chanteur d'opéra Jean-Baptiste Faure, alors adulé, mais aussi le riche marchand Ernest Hoschedé. Hoschedé, qui avait fait fortune en épousant la riche Alice Raingo, faisait le commerce d'étoffes et possédait de grands magasins lucratifs à Paris. Moins pour des raisons économiques que spéculatives, il avait vendu anonymement treize tableaux de peintres indépendants en janvier 1874 à l'Hôtel

Camille Monet et un enfant au jardin, 1875
Huile sur toile, 55 x 66 cm
W.I. 382
Boston, collection particulière

Drouot. Ce grand succès lui fit constituer une importante collection d'œuvres impressionnistes, pour des raisons semblables, au cours des années suivantes.

L'été 1874, au cours duquel Renoir fut l'hôte des Monet et où les deux artistes travaillèrent côte à côte sur le même motif comme autrefois à Bougival, fait partie des phases les plus insouciantes et les plus créatives de l'époque d'Argenteuil. Renoir se rapprocha de la méthode de travail de Monet en fragmentant davantage les touches. La comparaison des *Voiliers à Argenteuil* (1874; coll. part.) de Monet et de la *Seine à Argenteuil* (1874; Portland, Art Museum) de Renoir le montre fort bien. Manet, qui passa l'été dans une propriété de famille à Petit-Gennevilliers, près d'Argenteuil, se joignit aux deux artistes. C'est à cette époque que furent créées les œuvres les plus impressionnistes de Manet, des scènes baignées de lumière et estivales aux couleurs pleines de vie. Le bateau-atelier de Monet (repr. p. 64) servit de motif tout comme les barques environnantes. Le critique d'art Zola, qui était d'ordinaire bienveillant, reprocha aux tableaux que Manet exposa au Salon en 1875 une absence de formes ressemblant à celle qui caractérisait les tableaux de Monet.

C'est également dans une insouciante ambiance de vacances qu'étaient nées les vues du jardin de Monet à Argenteuil vers lequel les trois artistes s'étaient tournés pour un motif identique. Monet posséda plus tard la toile *Camille Monet et Jean dans le jardin d'Argenteuil* peinte par Renoir (1874; Washington, National Gallery of Art) et évoqua les heures de travail communes: «L'exquis tableau de Renoir qui est aujourd'hui en ma possession représente ma première femme. Il fut réalisé dans notre jardin à Argenteuil. Enthousiasmé par les couleurs et par la lumière, Manet commença un jour une étude en plein air de personnes se trouvant sous des arbres. Renoir survint pendant ce travail. L'atmosphère de l'instant le fascina également. Il me demanda une palette, un pinceau et une toile, s'assit à côté de Manet et se mit à peindre. Ce dernier l'observait du coin de l'œil et allait vers lui de temps à autre pour mieux voir la toile. Puis il fit une grimace, vint prudemment vers moi et me souffla à l'oreille: ‹Ce garçon n'a pas de talent! Comme vous êtes son ami, dites-lui qu'il ferait mieux d'abandonner la peinture.›» Cette remarque ironique ne semble pas entièrement dénuée de fondement, elle prouve les réserves de Manet à l'égard du mouvement impressionniste.

Pendant l'été 1874, à côté de représentations de barques et de régates, Monet se consacra à des vues de ponts qui représentent, à l'intérieur de l'époque d'Argenteuil, un groupe autonome de toiles auquel il s'était attaqué pour la première fois en 1873. Argenteuil avait deux ponts sur la Seine: un vieux pont de bois pour piétons et voitures porté par des piliers de pierre, *Le Pont d'Argenteuil* (repr. p. 82), et *Le Pont du chemin de fer* (repr. p. 83) en béton et en fer. A l'époque, le fer était un nouveau matériau de construction et représentait l'architecture moderne. Depuis toujours, les ponts étaient considérés comme expression de la relation entre l'être humain et la nature et avaient déjà fasciné Monet à Londres et en Hollande. Mais comme symbole d'acquisitions techniques de l'époque, le pont de chemin de fer possédait une esthétique particulière à laquelle Monet et les autres peintres impressionnistes étaient sensibles.

Avec leurs formes architectoniques claires, les ponts fournissaient à Monet le moyen d'inclure dans ses compositions des constructions divisant géométriquement l'espace. Dans *Le Pont d'Argenteuil* (repr. p. 82), qui a été peint de l'atelier flottant de Monet et montre le pont-route, on reconnaît une clarté franchement classique de la structure du tableau. Le pont divisé en secteurs marque avec ses piliers, à droite et à gauche, la fin du tableau. Ces verticales trouvent leur contrepoids dans les mâts des voiliers qui se balancent au premier plan et sont posés en oblique, de sorte que l'on peut faire une association spatiale malgré la surface de l'eau absolument plate. Dans le mouvement de l'arc du pont, la vue est libérée sur une colline située sur la berge opposée qui recueille harmonieusement la courbure du pont. A cause de cela et de l'horizon haut placé, se transmet un continuum spatial de premier plan, plan central et arrière plan et ce, bien que Monet renonce à la perspective traditionnelle.

Une fois de plus, on voit combien l'affirmation formulée par une critique formaliste idéaliste du domaine de l'art abstrait est insoutenable; cette critique disait en effet que Monet travaillait «fortuitement», était tout œil, et que l'aspect rationnel était forcément passé sous silence. La séparation entre la perception et la vue «pure» servant de base et discutée au XIXe siècle a été réfutée par la psychologie de la perception moderne. Il n'y a pas de perception déclenchée par des valeurs empiriques, pas de vue «pure». De nombreuses ébauches au crayon tirées des albums de croquis de Monet qui se trouvent actuellement au Musée Marmottan à Paris montrent que Monet était logique dans le choix et la délimitation de ses motifs. L'exécution du *Pont d'Argenteuil* est en même temps esquissée au plus haut degré, et c'est seulement là où le mouvement de l'eau et des reflets doit devenir vivant que ses touches se séparent et deviennent plus denses.

Dans *Le Pont du Chemin de fer à Argenteuil* (repr. p. 83), cela est net. Dans *Le Pont d'Argenteuil* (repr. p. 82), les détails et donc les intersections des barques en bas à gauche par exemple, mais aussi la dominance graphique de l'architecture du pont, font penser à des gravures sur bois japonaises ayant une thématique semblable. Les ponts y étaient aussi employés comme éléments créateurs d'espace dans des compositions absolument plates.

Effectivement, les impulsions des estampes japonaises en couleur (ukijo-e) d'Ando Hiroshige, de Katsushika Hokusai, de Kitagawa Utamaro et d'autres encore, étaient une confirmation pour tous les artistes impressionnistes, car elles rompaient avec les habitudes visuelles coutumières. Elles possédaient non seulement une coloration très lumineuse souvent éloignée de la réalité, mais essayaient

Le Pont routier, Argenteuil, 1874
Huile sur toile, 60 x 79,7 cm
W.I. 312
Washington (D.C.), National Gallery of Art, collection M. et Mme Paul Mellon

Le Pont d'Argenteuil, 1874
Huile sur toile, 60 x 80 cm
W.I. 311
Paris, Musée d'Orsay

Claude Monet 74

Le Pont d'Argenteuil, 1874
Huile sur toile, 60 x 81,3 cm
W.I. 313
Munich, Neue Pinakothek

aussi de transmettre une nouvelle sorte d'espace en superposant des surfaces colorées. Les indépendants s'enthousiasmèrent pour la planéité et l'abandon du modelé, les vues hardies et les compositions découpées, la thématique quotidienne et l'idée de reprendre en série des vues d'un même motif, nouveautés qui étaient si proches de leurs propres efforts. L'estampe japonaise a donc des rapports directs avec la formation du nouveau style pictural.

Le Japon avait seulement ouvert ses portes au commerce international vers la moitié du XIXe siècle, si bien qu'il ne put y avoir une plus grande confrontation avec la culture locale qu'à partir de cette date. La «Porte Chinoise», où l'on pouvait acheter des estampes japonaises et des objets d'art japonais, avait été créée à Paris, rue de Rivoli, en 1862. Elle n'était pas seulement fréquentée par les peintres avant-gardistes comme Monet, Manet, Degas, Whistler ou Fantin-Latour, on y rencontrait aussi des écrivains comme Baudelaire, Zola ou les frères Edmond et Jules de Goncourt qui reprirent non seulement des thèmes japonais dans leurs romans, mais contribuèrent également à la compréhension de cette culture en écrivant des monographies relatives aux artistes japonais. L'Exposition uni-

Le Pont du chemin de fer, Argenteuil,
1873
Huile sur toile, 54 x 71 cm
W.I. 319
Paris, Musée d'Orsay

verselle de 1867 avait elle aussi suffisamment donné l'occasion de se familiariser avec le Japon. Les artistes commençaient à collectionner les estampes japonaises et s'entouraient d'un exotisme décoratif avec kimonos, éventails, céramiques et paravents aux motifs japonais. La confrontation de Monet avec le Japon atteignit son point culminant, abstraction faite de sa référence artistique aux estampes, non seulement dans l'installation d'un jardin japonais à Giverny, mais aussi dans une vaste collection d'estampes japonaises en couleur qui peut de nouveau être admirée à Giverny de nos jours.

Dans une exagération non inhabituelle, Monet fait remonter la découverte et l'acquisition de ses premières feuilles à 1856, alors qu'il avait 16 ans. Comme cela est fréquent, certains évènements sont arrangés dans le souvenir pour nourrir une image que vise l'artiste. Monet n'a pas estimé et acheté des estampes japonaises avant 1862 et probablement 1871 à Zaandam. C'est en effet là qu'il eut la chance d'acquérir chez un marchand de porcelaines tout un paquet d'estampes à bon marché, car ce dernier ne connaissait apparemment pas leur valeur et s'en servait pour envelopper sa porcelaine.

Neige à Argenteuil, 1874
Huile sur toile, 54,6 x 73,8 cm
W.I. 348
Boston, Museum of Fine Arts, legs d'Anna Perkins Rogers, avec l'aimable autorisation du musée

REPRODUCTION EN HAUT A DROITE:
Le Boulevard de Pontoise à Argenteuil, neige, 1875
Huile sur toile, 60 x 81 cm
W.I. 359
Bâle, Öffentliche Kunstsammlung Basel, Kunstmuseum

REPRODUCTION EN BAS A DROITE:
Le Train dans la neige, la locomotive, 1875
Huile sur toile, 59 x 78 cm
W.I. 356
Paris, Musée Marmottan

Claude Monet

Claude Monet 75

Claude Monet 1876

Les Chrysanthèmes, 1878
Huile sur toile, 54 x 65 cm
W.I. 492
Paris, Musée d'Orsay

Avec *la Japonaise* (repr. p. 86), Monet renvoie directement au japonisme de l'époque. Le tableau est une preuve éloquente de son amour pour les choses et arrangements japonais. Bien que les thèmes figuratifs disparussent de plus en plus jusqu'à la fin des années 70, ils furent à nouveau travaillés isolément, surtout en vue d'expositions. Mais ici – malgré les efforts entrepris par Monet pour choisir des sujets naturels –, tout semble artificiel et arrangé. Un tapis avec de grands motifs recouvre le sol, et divers éventails sont accrochés et répartis avec recherche sur le mur. La pose de Camille, qui s'est affublée d'une perruque blonde et est vêtue d'une robe brodée aux merveilleuses couleurs, sur laquelle les motifs japonais ont presque l'air en relief, fait aussi un effet théâtral. Monet a non seulement emprunté aux représentations de figures de Manet, de Renoir et de Whistler, mais il s'est également référé à sa *Femme à la robe verte* (repr. p. 22) qui avait remporté un si grand succès au Salon. Par la suite, Monet prit ses distances par rapport à cette œuvre, à cause des concessions faites au goût du public de l'époque, bien qu'elle ait remporté un vif succès à la deuxième exposition impressionniste en 1876 et ait pu être vendue pour 2000 francs.

En raison des difficultés financières qu'ils avaient subies à l'occasion de la première exposition impressionniste, Monet, Renoir, Sisley et Morisot se virent contraints de vendre de nombreux tableaux aux enchères à l'Hôtel Drouot en mars 1875. Mais cette entreprise échoua malgré l'accueil bienveillant de critiques influents comme Philippe Burty. Les prix obtenus étaient dérisoires et la présentation avait fait naître l'hilarité ou même de vives protestations chez la majorité du public. Les quelques collectionneurs engagés comme

La Japonaise, 1875
Huile sur toile, 231 x 142 cm
W.I. 387
Boston, Museum of Fine Arts, acquis en 1951 grâce à une donation, avec l'aimable autorisation du musée

Les Tuileries, 1876
Huile sur toile, 54 x 73 cm
W.I. 401
Paris, Musée Marmottan

Henri Rouart et Georges Charpentier furent ignoré. Le contact de Charpentier avec l'art impressionniste fut toutefois capital pour l'histoire ultérieure de l'impressionnisme. Il avait acheté un tableau de Renoir et avait ensuite fait la connaissance de Monet, Pissarro et Sisley par l'intermédiaire de ce dernier. Dès lors, il collectionna non seulement leurs œuvres, mais contribua aussi à soutenir et à répandre cet art en tant qu'éditeur avec son journal «La Vie Moderne» fondé en 1879. Ce journal, dont Edmond Renoir devint par la suite le directeur, possédait sa propre galerie où des expositions impressionnistes individuelles devaient se dérouler pour la première fois.

La situation financière de Monet était de plus en plus accablante. Désespéré, il s'adressa à ses amis et à des collectionneurs pour leur emprunter de l'argent, et en particulier à Manet qui se déclara prêt à l'aider et lui acheta des tableaux. La rencontre avec Victor Chocquet, un inspecteur des douanes amateur d'art ayant apporté son concours à la vente aux enchères à l'Hôtel Drouot, se fit par l'entremise de Cézanne et apporta une lueur d'espoir. En février 1876, après que Monet se fut installé à Argenteuil dans la rue Saint-Denis, ce dernier lui rendit visite en compagnie de Cézanne et acheta deux tableaux. A sa mort, en 1879, Chocquet laissa à sa femme une importante collection d'œuvres impressionnistes. Il entretint non seulement des relations épistolaires avec Cézanne et Renoir, mais reçut également des artistes dans son appartement parisien, rue de Rivoli. C'est de là que Monet fixa *Les Tuileries* (repr. p. 88) en 1876.

On peut s'imaginer que Monet mit de grands espoirs dans la deuxième exposition impressionniste qui eut lieu en avril 1876 chez Durand-Ruel. Bien que bon nombre de participants plutôt conservateurs ayant pris part à la première exposition se fussent retirés,

Les Tuileries (esquisse), 1876
Huile sur toile, 50 x 75 cm
W.I. 403
Paris, Musée d'Orsay

19 peintres s'y présentèrent. Monet montra 18 œuvres qui étaient des prêts pour moitié. Même la presse de haut niveau prit cette fois connaissance de l'exposition des «Intransigeants», comme ils se nommaient. On décrivit les impressionnistes comme nouvelle école orientée vers la lumière et la vérité et ayant mis à la mode une échelle de couleurs remarquablement claire. Et bien qu'ils se contentassent souvent d'études et d'impressions sommaires, on les qualifiait de novateurs d'une nouvelle peinture.

Mais la misère du ménage et les problèmes financiers restaient lourds pour Monet, malgré la vente de *La Japonaise* (repr. p. 86) qui y était exposée. Le docteur Georges de Bellio, qui était amateur d'art, faisait partie des rares collectionneurs encore disposés à acheter des toiles à Monet en 1876. Il était souvent le dernier espoir quand il s'agissait de trouver de l'argent pour la famille ou pour le matériel de peinture, et Renoir raconta plus tard: «Chaque fois que l'un de nous avait un besoin urgent de 200 francs, il allait déjeuner au café Riche; il était certain d'y rencontrer Monsieur de Bellio qui achetait le tableau qu'on lui apportait sans même le regarder.» Caillebotte, qui avait également participé à la deuxième exposition sur l'invitation de Renoir et habitait à Gennevilliers près de chez Monet, disposait de suffisamment de moyens pour aider ses confrères moins fortunés, surtout Monet, en leur achetant des toiles à l'occasion. La peinture de Caillebotte était peu originale et s'orientait selon la compréhension du réalisme de Duranty.

Les dîners gratuits organisés à cette époque par Eugène Murer tous les premiers mercredis du mois et auxquels participèrent, outre Monet, Renoir et Sisley, Cézanne et les collectionneurs et amis de l'impressionnisme, sont devenus célèbres. Murer était pâtissier,

Les Glaïeuls, env. 1876
Huile sur toile, 60 x 81 cm
W.IV. 414
Detroit, The Detroit Institutes of Arts,
acquis par la ville de Detroit 21.71

Les Dindons, 1876
Huile sur toile, 174,5 x 172,5 cm
W.I. 416
Paris, Musée d'Orsay

restaurateur, écrivain et peintre autodidacte. Il s'intéressait à cet art depuis le début des années 70 et essayait d'encourager les artistes par tous les moyens dont il disposait. Il organisa donc entre autres une loterie dont le gros lot était un tableau de Pissarro. La gagnante, une simple domestique du quartier, préféra toutefois un gâteau. On ne peut guère se faire une meilleure image de l'estime dont jouissaient les œuvres impressionnistes.

A l'automne 1876, Monet fut invité par Hoschedé et sa femme Alice dans leur château de Rotenbourg à Montgeron et l'on mit à sa disposition un atelier dans le parc. Manet y avait déjà passé l'été avec sa femme. Pour l'aménagement intérieur du château, Monet créa sur commande quatre œuvres décoratives qui montrent des motifs des environs: *Les dindons* (repr. p. 91), *Le Jardin de Montgeron* (Leningrad, Ermitage), *Le Hameau de Montgeron* (Leningrad, Ermitage) et *La Chasse* (France, collection particulière). Tandis que Ca-

Détail de la repr. ci-contre

REPRODUCTION CI-CONTRE:
La Promenade. La Femme à l'ombrelle, 1875
Huile sur toile, 100 x 81 cm
W.I. 381
Washington (D.C.), National Gallery of Art, collection M. et Mme Paul Mellon

La Gare Saint-Lazare, 1877
Huile sur toile, 75 x 100 cm
W.I. 438
Paris, Musée d'Orsay

mille et Jean étaient restés seuls à Argenteuil et que Hoschedé s'occupait de ses affaires périclitantes à Paris, Monet passa l'automne à Rotenbourg avec Alice et ses six enfants. On a parfois supposé que la relation amoureuse d'Alice et de Monet avait commencé à cette époque, mais elle ne devint officiellement sa compagne et sa femme que beaucoup plus tard. Une amitié cordiale allant beaucoup plus loin que les dîners communs qui eurent lieu à Paris pendant l'hiver 1876/77 se développa entre les deux couples. Ce genre de dîners et d'invitations permettait non seulement à Monet de mieux surmonter les temps difficiles, mais aussi d'être plus fréquemment à Paris, bien qu'il n'ait jamais abandonné son atelier parisien après son déménagement à Argenteuil.

Argenteuil ne lui offrait plus de motifs réellement nouveaux. A Paris, il trouva par contre un nouveau thème plein de charme dans la gare Saint-Lazare avec ses wagons et ses locomotives. Monet connaissait cet endroit, car les trains de la ligne ouest vers Le Havre et Argenteuil en partaient. En janvier 1877, il loua un appartement dans la rue de Moncey, tout près de la gare. Renoir raconta plus tard à son fils Jean que Monet le surprit un jour en lui disant qu'il voulait peindre cette gare pour y fixer le jeu du soleil sur la buée. Comme les volutes de fumée étaient particulièrement épaisses au départ des trains, de sorte qu'on pouvait à peine distinguer quoi que ce soit, Monet songea à retarder le train de Rouen, car la lumière était meilleure une demi-heure après son départ régulier. Monet rendit donc visite au directeur de la ligne ferroviaire, serein, et «obtint tout ce qu'il voulut. On retarda des trains, interdit des quais et on bourra les locomotives afin qu'elles crachent autant de vapeur qu'il plaisait à Monet.»

La Gare Saint-Lazare, le train de Normandie, 1877
Huile sur toile, 59,6 x 80,2 cm
W.I. 440
Chicago, The Art Institute of Chicago, collection M.et Mme Martin A. Ryerson, 1933.1158

Le chemin de fer et la gare étaient un thème déclaré de la modernité telle que la revendiquaient les peintres impressionnistes, et en 1854, Manet avait déjà fait de ces merveilles d'industrialisation la scène d'un tableau dans *Le Chemin de fer* (Washington, National Gallery of Art). Les peintres impressionnistes arrachaient à ces endroits marqués par la fumée et l'acier une poésie particulière, mais Monet attachait de l'importance à la vision de la construction industrielle sous différents éclairages, tandis que la figure humaine devenait floue. Les effets continuellement changeants dans la fumée et dans la vapeur, qui étaient liés au chemin de fer, avaient déjà inspiré à Turner son célèbre tableau *Pluie, vapeur, vitesse* (1844; Londres, National Gallery)

Pendant la deuxième moitié du XIXe siècle, le chemin de fer avait apporté avec sa vitesse jusque-là inconnue une perception absolument nouvelle, car en traversant rapidement le paysage, les objets aperçus donnaient l'impression de se volatiliser et la nature elle-même semblait se mettre en mouvement. Cette expérience fit également naître la peur et l'incertitude chez les contemporains. Le décor qui faisait se dérouler rapidement le rail ne semblait plus être qu'un panorama et une «suite rapide . . . Il (le chemin de fer) vous montre tout simplement l'essentiel d'un paysage . . . ne lui demandez pas de détails, mais le tout», écrivit Jules Claretie en 1865 à propos des sensations correspondantes du voyageur contemporain. A la différence d'un long voyage en calèche ou en voiture, ce dernier avait effectivement une autre conscience des distances, du fait que les lieux étaient plus rapidement et plus facilement accessibles, puisque l'éloignement réel se réduisait dans l'imagination et que l'on ne pouvait plus en faire directement l'expérience. Une compréhension modifiée de l'espace et du temps fut donc la conséquence de cette nouveauté industrielle à laquelle la perception actuelle s'est depuis longtemps habituée et pour laquelle des notions comme immensité et accessibilité rapide aux endroits les plus lointains sont familières. Conformément à cela, on voyait le rôle de l'éloignement traditionnel dans la peinture impressionniste, car ici aussi l'espace tridimensionnel fixé en perspective était divisé au profit d'un lien ouvert, plat, des sujets comprenant l'instant du mouvement. Les œuvres impressionnistes pouvaient donc être considérées comme incroyablement modernes et comme expression de leur temps si l'on supposait en elles le reflet de la réalité.

Dans *La Gare Saint-Lazare* (repr. p. 94), des nuages de fumée claire et sombre qui s'unissent partiellement presque matériellement et commencent partiellement à se désintégrer en petits bouts se déposent sur la rigide carcasse de verre et de fer du hall. Le pont de l'Europe dépourvu de sa forme architectonique fixe et les maisons avoisinantes émergent au loin dans la vapeur bleu-gris. Dans cette atmosphère nébuleuse qui enveloppe tout et fond tout ensemble, les tiges voûtant le hall et les rails esquissés fournissent une orientation et un support. L'effet du manteau atmosphérique, qui relie entre elles toutes les parties de la réalité et du tableau en les faisant paraitre équivalentes car elles perdent à cause de lui leurs contours qui les séparent et les caractérisent à la fois, est particulièrement visible. Les scènes dans la vapeur, le brouillard, la pluie et la neige dont Monet se servit de préférence pour un temps, étaient particulièrement appropriées. Alors que les figures humaines apparaissent dans ces tableaux réduites à des silhouettes, le colosse noir de la locomotive fumant et crachant, qui semble animé, s'interpose dans la gare. Ce qui peut produire un effet d'apothéose de la technique est essentiellement une confrontation avec les variations atmosphériques, tout à fait comme si Monet avait devant lui un motif dans la nature. La gare Saint-Lazare montre donc non seulement la grande ville moderne de Paris, mais aussi sa vitalité, son rythme et son atmosphère.

Les Déchargeurs de charbon, 1875
Huile sur toile, 55 x 66 cm
W.I. 364
Collection particulière

Parmi les douze tableaux de gare conservés, il est possible de constituer des sous-groupes selon le point de vue choisi. D'une part, la vue de la gare avec l'arrivée du train comme dans *La Gare Saint-Lazare* (repr. p. 94) et *La Gare Saint-Lazare: le train de Normandie* (repr. p. 95); d'autre part, l'extérieur de la gare, entre autres dans *Le Pont de l'Europe, Gare Saint-Lazare* (repr. p. 97). Les nombreuses études préliminaires réalisées pour ces tableaux indiquent toutefois que Monet ne pouvait pas, sans doute à cause du trafic, travailler et achever directement devant le motif comme il l'avait prévu à l'origine. C'est pour cela qu'il avait loué un atelier à proximité.

Les vues de la gare sont les précurseurs des séries de Monet où un motif est fixé, varié plusieurs fois à partir d'un endroit presque identique, avec différents éclairages et à différents moments de la journée. Il a élargi le processus de travail déjà amorcé dans *Le Quai du Louvre* (repr. p. 34) et dans *Le Boulevard des Capucines* (repr.

Le Pont de l'Europe, Gare Saint-Lazare,
1877
Huile sur toile, 64 x 81 cm
W.I. 442
Paris, Musée Marmottan

p. 56) pour rendre le caractère immédiat, car là aussi, il avait travaillé à deux vues de chaque motif sous différents éclairages. La série, telle qu'elle s'annonce dans les vues de la gare, détermine l'œuvre de Monet à partir des années 80, et dans ces œuvres, il est allé au-delà de la manière de voir des impressionnistes.

Afin de mieux pouvoir s'approcher des phénomènes dans la nature et donc de la réalité, Degas avait déjà employé cette méthode. Les peintres impressionnistes, et Degas pour ses *Danseuses* (à partir de 1867), trouvèrent des stimulations pour ce genre de représentations en série dans la photographie contemporaine, par exemple dans les vues de Desideri qui montraient des danseuses dans diverses poses. Mais la connaissance des estampes japonaises, par exemple des *Cent vues du mont Fuji* d'Hokusai, avait également montré la voie. La notion de série ne signifie donc pas la répétition schématique avec une modification systématique. La série offrait au contraire la possibilité de donner une idée du caractère éphémère de l'instant donné et de la durabilité et de la propriété caractéristique d'un paysage par exemple.

Lors de la troisième exposition impressionniste, qui fut inaugurée le 4 avril 1877 dans la rue Le Peletier sous le titre «Exposition des Impressionnistes», Monet montra sept vues de gare en tant qu'ensemble fermé. L'éphémère revue «L'impressionniste» qui s'occupait spécialement des 18 artistes représentés à l'exposition parut en même temps. La rédaction de cette revue incombait à Georges Rivière, un ami intime de Renoir, qui fit de grands éloges des 30 œuvres, particulièrement des vues de gare de Monet. Du point de vue financier, l'exposition fut un échec pour Monet, et sa situation économique alla en empirant pendant l'automne et l'hiver. En raison de sa faillite qui s'annonçait, Hoschedé n'était plus non plus en mesure de soutenir généreusement l'artiste. En juin 1878, la collection Hoschedé fut vendue par exécution forcée. C'était une catastrophe pour les impressionnistes, car les prix de leurs tableaux se mirent à dégringoler.

Monet fut contraint de vendre ses œuvres bien au-dessous de leur valeur si tant est qu'il trouvait des acheteurs. De nouvelles requêtes adressées à Caillebotte et à Chocquet nous renseignent à ce sujet. De plus, le style de vie qu'avait Monet à Argenteuil n'était pas précisément modeste; il occupa pour un temps deux domestiques et un jardinier qui durent toutefois réclamer leurs gages bien des années plus tard. Monet n'était pas non plus hostile aux plaisirs physiques. Il devait toujours y avoir suffisamment de tabac et de vin. Il se faisait en outre beaucoup de souci pour la mauvaise santé de Camille. Il n'est donc pas étonnant qu'il reste seulement quatre tableaux de la période de neuf mois qui suivit son retour à Paris où avaient été créées les vue de la gare. Aux soucis existentiels qui ont abouti à cette pause dans la création, se sont peut-être ajoutées des réflexions comparant la force des motifs d'Argenteuil à celle de Paris. Monet était-il conscient de la liaison harmonieuse de l'industrialisation croissante avec la nature vierge, et Argenteuil était-il devenu un mythe pour lui? Des tableaux comme *Les Déchargeurs de charbon* (repr. p. 96) sont aussi révélateurs que la retraite spectaculaire dans le jardin d'Argenteuil (*Camille Monet et un enfant au jardin*, repr. p. 79), dans les parcs de Paris (*Le Parc Monceau*, (repr. p. 98) et dans les environs du petit-bras solitaire de la Seine.

En octobre 1877, Monet était déjà parti à Paris où il loua un appartement dans le quartier du pont de l'Europe, près du parc Monceau, au n° 26, rue d'Edimbourg. C'est là que vit le jour son deuxième fils Michel, le 17 mars 1878. Camille ne devait plus se remettre de ses couches, son énergie s'amenuisa de plus en plus à partir de ce moment. Outre des tableaux de parcs (*Parc Monceau*) et des vues de l'île de la Grande-Jatte, Monet peignit de nouveau à Paris des scènes de rue comme les deux vues presque identiques de *La Rue Saint-Denis, fête du 30 juin 1878* (repr. p. 101). L'un des grands évènements de l'année 1878 fut l'Exposition universelle qui fut inaugurée à Paris le ler mai et à cause de laquelle les impres-

Le Parc Monceau, 1878
Huile sur toile, 73 x 54 cm
W.I. 466
New York, Metropolitan Museum of Art, fondation M. et Mme Henry Ittleson Jr., 1959. (59.142)

sionnistes avaient renoncé à une nouvelle exposition de groupe. Le livre de Duret intitulé «Les Peintres Impressionnistes», dans lequel il présentait Monet, Pissarro, Renoir, Sisley et Morisot et analysait leurs buts et leurs particularités, fut toutefois publié à temps à grand renfort de publicité. Pendant les derniers jours du mois de juin, les festivités relatives à l'Exposition universelle atteignirent leur point culminant. A l'occasion de la première fête nationale, le 30 juin, des rues entières furent transformées en une mer ondulante de drapeaux colorés. La parure solennelle et le tumulte général incitèrent Monet à peindre deux toiles (repr. p. 101) dont il raconta plus tard l'origine: «J'aimais les drapeaux. Le 30 juin, le jour de la première fête nationale, je passai dans la rue Montorgueil avec mon matériel de peinture. La rue décorée de drapeaux était noire de monde. Je vis un balcon, grimpai les marches et demandai la permission de peindre. On m'y autorisa . . . Oui, c'était encore le bon temps, bien que la vie ne fût pas toujours facile.» Monet parvint à rendre merveilleusement l'animation de la rue dans son tableau. Avec une grande dynamique, le regard est attiré vers une profondeur présumée de l'alignement. La foule dense et ondulante, les drapeaux qui flottent, le jeu de la lumière et de l'ombre dans la rue et sur les façades trouvent leur correspondance dans une touche éblouissante et fragmentée qui prend à chaque forme son identité originale et semble tout transformer en un tissu coloré mouvant. La fixation spontanée et rapide de l'impression d'ensemble qui caractérisait les tableaux impressionnistes de l'époque d'Argenteuil est particulièrement belle dans cette toile.

Duret à décrit avec raison Monet comme l'impressionniste pur et simple, «car il est parvenu à fixer des impressions éphémères que les peintres qui l'ont précédé avaient négligées ou cru impossibles à rendre avec le pinceau. Il a saisi dans toute leur vérité les mille nuances que peut prendre l'eau de la mer et des fleuves, le jeu de la lumière dans les nuages, le coloris changeant des fleurs et les purs reflets du feuillage sous les rayons ardents du soleil. Comme il peint le paysage non seulement dans son état immuable et durable, mais aussi sous des aspects éphémères et atmosphériques occasionnels, Monet donne une idée étonnamment vivante et émouvante de la scène du moment. Ses tableaux donnent des impressions réelles. Ses motifs de neige donnent froid et ses tableaux en pleine lumière réchauffent et ensoleillent.» Les années d'Argenteuil avaient participé de façon décisive à l'éclaircissement et à la formation de cette peinture.

Pendant les mois passés à Paris, Monet avait souffert de l'absence d'environs champêtres et de vraie campagne, de sorte qu'il décida d'aller s'installer à Vétheuil pas seulement pour des raisons matérielles.

La Rue Saint-Denis, fête du 30 juin 1878,
1878
Huile sur toile, 76 x 52 cm
W.I. 470
Rouen, Musée des Beaux-Arts

Vétheuil 1878–1881
«Une époque difficile avec un avenir sombre»

En septembre 1878, Monet s'était établi à Vétheuil, un merveilleux petit village au bord de la Seine. Cette localité qui comptait environ 6000 habitants, paysans pour la plupart, était située à une cinquantaine de kilomètres à l'ouest de Paris. Elle était plus champêtre qu'Argenteuil; il n'y avait là ni usines ni chemin de fer et donc pas de conflit ville-campagne. Les merveilleux paysages environnants, les vieilles maisons entourant une église du XIIIe siècle dans le bourg et le château de Vétheuil fournissaient à Monet des sujets pittoresques et féconds.

Monet trouva, avec les siens et les huit membres de la famille Hoschedé qui s'était jointe à lui, un refuge dans une maison située dans la rue des Mantes; le jardin descendait jusqu'au bord de la Seine où Monet put ancrer son bateau-atelier. Douze personnes durent y trouver place, sans compter la bonne, la cuisinière et la gouvernante. La situation financière des deux familles était très mauvaise et ne s'améliora guère pour Monet quand il vendit des tableaux en octobre. Il ne pouvait plus payer les salaires de son personnel. Ernest Hoschedé se rendit peu après à Paris, laissant sa famille à Vétheuil.

Comme la maladie de Camille s'aggravait de manière inquiétante et qu'il paraissait nécessaire de loger plus confortablement les deux familles, on décida de déménager encore une fois. Le nouveau logis était situé au nord-ouest de Vétheuil, sur la route de La Roche-Guyon que Monet a peinte dans *La Route de la Roche-Guyon* (1880; Tokyo, National Museum of Western Art). Des escaliers menaient du jardin à la Seine où était ancré le bateau-atelier de Monet. Cet endroit est resté vivant dans *Le Jardin de Monet à Vétheuil* (repr. p. 102).

Vétheuil se trouve à la pointe d'un long méandre de la Seine en face de la localité de Lavacourt à laquelle elle est reliée par un bac. La courbe du fleuve entourait plusieurs petites îles dont les plus grandes étaient l'île Moisson, en amont, et l'île Saint-Martin, en aval. De hautes falaises crayeuses tombant à pic dans le fleuve entouraient Vétheuil à l'ouest, tandis qu'un vaste paysage plat et la forêt de Moisson s'étendaient de l'autre côté de la Seine, près de Lavacourt. Comme les villages voisins situés en amont et en aval que Monet explora d'abord avec son bateau-atelier, ces environs lui

Le Jardin de Monet à Vétheuil, 1881
Huile sur toile, 150 x 120 cm
W.I. 685
Washington (D.C.), National Gallery of Art, collection Ailsa Mellon Bruce

Champ de coquelicots près de Vétheuil, 1879
Huile sur toile, 70 x 90 cm
W.I. 536
Zurich, Fondation, collection E.G. Bührle

fournirent de nombreux motifs. A l'automne 1878, il travailla par exemple de préférence en aval ou au-dessus de la Seine vers Vétheuil et Lavacourt comme dans *Le Chemin de halage vers Lavacourt* (collection particulière). Par rapport aux œuvres d'Argenteuil, les vues sont assez classiques et rappellent quelquefois les paysages de Daubigny.

L'hiver 1878/79 qui suivit fut exceptionnellement froid et long. Il anticipa sur les futurs hivers extrêmement froids de Vétheuil. Il donna pourtant à Monet l'occasion de peindre de nombreux tableaux de neige et d'hiver des environs comme par exemple *La Rue à Vétheuil, l'hiver* (repr. p. 106) où l'on reconnait sur la gauche la maison de Monet. Ces tableaux, dont font également partie*Lavacourt, soleil et neige* (Londres, National Gallery) et *L'Eglise de Vétheuil, neige* (repr. p. 107), possèdent une intensité qui fait penser à l'époque de Saint-Siméon. Ils sont souvent déserts et ensevelissent la nature entière sous de vastes surfaces blanches, laissant ainsi une impression triste et mélancolique qui révèle la difficile situation dans laquelle Monet se trouvait à l'époque. Ce sont les correspondances qu'il cherchait et trouvait dans la nature pour répondre à son propre état d'esprit. Monet correspond ici entièrement à l'idée romantique de la fusion du Moi et de la nature dans le paysage vécu.

Monet a fixé à diverses reprises la vue panoramique sur Vétheuil en hiver, ou bien de son bateau-atelier, ou bien de l'une des petites îles sur la Seine, ou encore, comme dans *L'Eglise de Vétheuil, neige* (repr. p. 107), de la rive opposée de la Seine. On aperçoit les maisons de Vétheuil couvertes de neige groupées autour de la petite église.

Sentier dans les coquelicots, Ile Saint Martin, 1880
Huile sur toile, 80 x 60 cm
W.I. 592
New York, Metropolitan Museum of Art, legs de Julia W. Emmons, 1956 (56.135.1.)

La composition est déterminée par l'horizontale du fleuve contrebalancée par les verticales du clocher de l'église et des arbres. Les formes architectoniques sont fixes et déterminantes et pas encore dématérialisées par la lumière. Au premier plan qui reçoit une importance particulière, Monet reprend une méthode qu'il avait développée jusqu'au bout à Argenteuil. De petites touches fragmentées donnent le mouvement de l'eau. Le contraste par rapport aux zones colorées plus étalées produit de l'effet, ce qui met en relief une particularité caractéristique des travaux de cette époque. Les scènes de neige étaient non seulement appréciées par Monet, mais aussi par les autres paysagistes impressionnistes, car elles permettaient de s'occuper tout particulièrement des reflets qui étaient repris dans le tableau comme minuscules taches colorées. Ainsi, le blanc de la neige est parsemé, ici aussi, de reflets bleutés. L'échelle des couleurs du tableau est extrêmement retenue et réduite. La seule touche de couleur vivante est le gilet bleu de la figure humaine qui surgit de façon irréelle à l'arrière-plan.

Le printemps 1879 longtemps attendu donna à Monet un nouvel élan, et les arbres en fleurs lui fournirent des motifs adéquats. La quatrième exposition impressionniste qui avait ouvert ses portes le 10 avril 1879 au n° 28, avenue de l'Opéra, sous le titre d'«Exposition des Artistes Indépendants» était également liée à des espérances. Quinze artistes participèrent à cette exposition, mais Morisot, Sisley et Renoir n'y étaient pas représentés. Renoir exposa au Salon qui révéla en 1879 une tendance intéressante pour les jeunes peintres, car les thèmes académiques, mythologiques et historiques s'effa-

La Rue à Vétheuil, l'hiver, 1879
Huile sur toile, 52 x 71 cm
W.I. 510
Göteborg, Göteborgs Konstmuseum

L'Eglise de Vétheuil, neige, 1879
Huile sur toile, 53 x 71 cm
W.I. 506
Paris, Musée d'Orsay

çaient devant le naturalisme et la thématique plus moderne reprise par les impressionnistes.

Grâce à l'emplacement favorable de l'exposition, le nombre de visiteurs fut grand et il y eut pour la première fois des bénéfices, de sorte que chaque membre reçut 439 francs. Monet était représenté par 29 œuvres, pour la plupart des paysages de Vétheuil et des environs. La presse lança ses injures habituelles, disant que ses peintures étaient faites trop hâtivement et étaient trop peu élaborées. «Monet envoie 30 paysages qui ont l'air d'avoir été peints en un seul après-midi», put-on lire peu après l'ouverture dans le «Figaro» conservateur. Effectivement, Monet avait dû, surtout à cause de ses énormes difficultés d'existence, mettre en vente toujours plus de tableaux et donc remettre à des galeries et à des collectionneurs des œuvres souvent peintes trop rapidement. Pourtant, le nombre de ceux qui s'efforçaient de regarder cet art de plus près augmentait. Monet ne se montra pas pendant l'exposition, car son moral était extrêmement bas. Caillebotte s'était chargé de ses toiles et de leur présentation et le tenait au courant du déroulement de l'exposition.

A Vétheuil, la situation était critique, car à la maladie de Camille, qui allait en dépérissant, et de leur enfant alité venaient s'ajouter leurs finances précaires. Monet ne pouvait guère songer à peindre, car il était occupé à soigner sa famille.

Désespéré, il décrivit la situation à Duret en janvier 1879: «Je suis absolument sans le sou. Je suis donc contraint de mendier pour maintenir mes moyens d'existence. Je ne possède pas d'argent pour acheter de la toile et des couleurs.» Tout manquait: la nourriture, le combustible et les vêtements. Ceci concernait tout autant la famille Hoschedé. Alice, qui était issue d'une famille fortunée et était habituée à vivre dans l'aisance, devait contribuer à l'entretien de tous en donnant des leçons de piano.

Camille Monet sur son lit de mort, 1879
Huile sur toile, 90 x 68 cm
W.I. 543
Paris, Musée d'Orsay

Parmi les rares tableaux créés pendant l'été 1879 se trouve le *Champ de coquelicots, près de Vétheuil* (repr. p. 104), dans le fond duquel surgissent les grands arbres de l'île Moisson. En font également partie les paysages de Vétheuil, (repr. p. 117) qui, simples dans leur expression, sont vus depuis l'autre rive du fleuve, horizontalement et souvent de face. Ils se distinguent uniquement par le changement continuel du feuillage, des conditions météorologiques et de l'éclairage et sont donc plus intenses dans l'expression que dans la forme. La fin de l'été fut ombragée par la mort de Camille qui avait seulement 32 ans. Elle était morte le 5 septembre au terme de longues souffrances. Monet fixa le cher visage de la disparue dans *Camille Monet sur son lit de mort* (repr. p. 108), poussé par une contrainte intérieure comme il l'a souvent expliqué plus tard. «Je me suis surpris en train d'observer la tempe tragique, cherchant presque mécaniquement les dégradations du coloris que la mort venait d'imposer au visage rigide. Des tons de bleu, de jaune, de gris, que sais-je? Voilà où j'en étais venu . . . Mais avant d'avoir l'idée de fixer les traits aimés, l'automatisme organique réagit déjà au choc de la couleur. Les reflets me contraignirent contre ma volonté à une action inconsciente», dit Monet, expliquant ainsi le sentiment d'être lié à ses propres visions. Le pâle visage de Camille semble presque disparaître, dépourvu de pesanteur et de lien avec l'espace, au moyen d'un voile coloré aux tons retenus et rompus. Les tons violets de la rigidité cadavérique s'emparent de tout le tableau. Les touches rapides et précipitées laissent supposer que Monet était pressé de terminer la toile. Dans son roman «L'Œuvre» publié en 1886, Zola décrivit Claude Lantier, un peintre impressionniste fictif qui avait peint un être cher, son petit garçon, sur son lit de mort, attiré lui aussi par les reflets. Monet se sentit tout particulièrement concerné, comme le révéla une lettre écrite à Zola peu après la publication du livre.

Monet resta à Vétheuil avec les huit enfants et Alice qui servait de mère à ses deux fils. Pour les habitants du village, la situation qui en résultait ne manquait pas d'une certaine ambiguïté. Alice évoqua effectivement toutes sortes de raisons pour ne pas retourner auprès de son mari Ernest à Paris où ce dernier cherchait des acheteurs pour les tableaux de Monet. Les dettes s'étaient entre-temps accumulées, de sorte que les factures impayées voletaient constamment

dans la maison et que l'huissier de justice se trouva plus d'une fois devant la porte. Malgré tout, Monet travailla intensivement pendant l'hiver 1879/80, ce qui l'aida à oublier pour un temps le grand vide laissé par la mort de Camille. Le choix et le traitement des motifs correspondent ici aussi à son état d'esprit. Contraint de rester à la maison à cause de la pluie incessante, il se tourna d'abord vers une série de natures mortes avec des fruits, des fleurs ou des faisans morts.

Par rapport aux paysages, les natures mortes sont rares dans l'œuvre de Monet, si l'on ne veut pas comprendre aussi au sens large les paysages de neige déserts et les tableaux de la débâcle de 1879/80 dans ce sens. Et pourtant l'année suivante, Monet eut aussi recours à différentes reprises à des arrangements de fruits (repr. p. 112/113) et surtout de fleurs, des tournesols par exemple (repr. p. 110/111) qui impressionnèrent profondément Vincent van Gogh par leur grande liberté. Monet avait toujours voué un grand amour aux fleurs, comme l'a révélé sa passion du jardinage à Argenteuil et plus tard dans le jardin de Giverny. Mais les tableaux de tournesols de 1880 se distinguent des natures mortes beaucoup plus réalistes des débuts, car ils rappellent déjà les tableaux tardifs de Van Gogh. Monet ne se perd pas dans la reproduction détaillée et réaliste des fleurs, celles-ci se présentent plutôt comme des lumières incarnées ou des soleils sur un fond bleu-violet. Le peintre utilise ici l'effet

Le Givre, 1880
Huile sur toile, 61 x 100 cm
W.I. 555
Paris, Musée d'Orsay

REPRODUCTION PAGE 110:
Bouquet de soleils, 1880
Huile sur toile, 101 x 81,3 cm
W.I. 628
New York, The Metropolitan Museum of Art, legs de Mrs. H.O. Havemeyer, 1929. Collection H.O. Havemeyer (29.100.107)

REPRODUCTION PAGE 111:
Fleurs de topinambours, 1880
Huile sur toile, 99,6 x 73 cm
W.I. 629
Washington (D.C.), National Gallery of Art, collection Chester Dale

Claude Monet
1880

intensifiant des couleurs complémentaires jaune-violet et bleu-orange. De la même manière, le rouge de la nappe se détache des touches vertes empâtées des feuilles. L'application rapide et expressive de la peinture révèle une participation émotionnelle que l'on peut également observer dans les vues de la débâcle de 1879/80 (repr. p. 115) et plus tard dans les vues d'Etretat de 1886 (repr. p. 131).

Les charges matérielles se firent encore plus lourdes à cause d'un hiver particulièrement rigoureux, l'un des plus froids que Vétheuil ait jamais connu avec moins 25° C. La Seine elle-même gela, si bien qu'on pouvait la traverser à pied. Les conditions atmosphériques extrêmes comme celles-ci ont rarement empêché Monet de travailler, comme il le raconta par la suite: «Je peignis par exemple sur la glace en janvier 1889. La Seine était complètement gelée et je m'installai sur le fleuve, m'efforçant de fixer mon chevalet et mon pliant d'une manière quelconque. De temps en temps, on m'apportait une bouillote. Mais pas pour les pieds! Je n'avais pas froid, c'était pour mes doigts gourds qui menaçaient de laisser échapper le pinceau.» Monet faisait face à la nature comme un lutteur et un chasseur. Il s'exposait à des situations toujours plus extrêmes, comme par exemple au bord de la falaise d'Etretat où il fut un jour surpris pendant qu'il était en train de peindre par un raz de marée qui l'inonda complètement et fit tourbillonner sa toile dans les airs. On trouve effectivement des grains de sable déposés par le vent entre les pigments colorés dans différents paysages de mer. En Italie, finalement, il travailla à Bordighera sous un soleil brûlant jusqu'à attraper une insolation. Depuis les années 80, Monet cherchait toujours davantage des motifs qui le défiaient à tous égards, comme

Corbeille de fruits (pommes et raisin),
1879
Huile sur toile, 68 x 90 cm
W.I. 545
New York, The Metropolitan Museum of Art

Poires et Raisin, 1880
Huile sur toile, 65 x 81 cm
W.I. 631
Hambourg, Hamburger Kunsthalle

des falaises à pic, des rochers et des criques difficilement accessibles, des vues par un froid de canard, par la pluie et la tempête ou par un soleil resplendissant.

Le gel et le dégel, qui commença à Vétheuil les 4 et 5 janvier 1880, lui inspirèrent des chefs-d'œuvre. Il ressort des lettres qu'il écrivit à cette époque que les paysages hivernaux déserts et souvent mornes l'aidèrent à revenir à la peinture, après la mort de sa femme. *Le Givre* (repr. p. 109), dont il existe deux autres versions très semblables montrant également un bras de la Seine en aval de Vétheuil, en fait aussi partie. L'eau est complètement gelée, la glace a également pris la barque au premier plan à droite. Au fond, des peupliers parachèvent la composition. Les herbes et les buissons sont couverts de cristaux. Tout semble immobile et figé.

Le dégel qui avait commencé dans les premiers jours de janvier entraîna non seulement une inondation dans le jardin de Monet, mais aussi une débâcle massive sur la Seine. Monet créa une série de vues de la débâcle (repr. p. 115) qui reçoivent également leur signification en considération des extraordinaires Nymphéas de Giverny. Le premier plan est entièrement occupé par la surface de l'eau sur laquelle nagent des glaçons isolés comme s'ils étaient dépourvus de pesanteur et ébauchés à l'aide de quelques touches. Les troncs verticaux des peupliers qui se reflètent dans l'eau constituent la fin horizontale se terminant en oblique sur les côtés. C'est seulement en associant la nature environnante que l'on obtient une impression d'espace et un sentiment de distance. La touche est floue et le sujet du tableau est plus évoqué que décrit. Ce n'est pas seulement là, mais encore dans la sombre échelle des couleurs et dans le renoncement aux contrastes violents comme dans la thématique modifiée et sa transposition que ces œuvres montrent nettement la cassure avec la phase impressionniste d'Argenteuil.

De plus, Monet avait décidé d'exposer au Salon, au printemps 1880. Peut-être y avait-il été encouragé par Renoir qui y avait été représenté en 1879 avec un grand succès. Cette participation au Salon marque une crise de la peinture impressionniste et montre en outre clairement la rupture de Monet avec le groupe impressionniste, car il refusa de participer à la cinquième exposition impressionniste. Il envoya deux œuvres, parmi lesquelles le paysage estival de Lavacourt, plutôt conventionnel et exécuté d'après de soigneuses ébauches, fut accepté alors que le tableau de la débâcle, dramatique et moins plaisant, fut refusé. Bien que le paysage de Monet ait été mal placé au Salon, c'est-à-dire accroché tout en haut du mur d'exposition, il semble, si l'on en croit les critiques, qu'il ait éclipsé les autres tableaux.

Le renoncement de Monet à participer à l'exposition de groupe eut toutefois des suites désagréables. Un rapport ironique et méchant, dans lequel on reprochait à Monet, en liaison avec sa défection, ses relations «bizarres» avec le couple Hoschedé et en particulier avec Alice, parut en janvier 1880 dans le «Gaulois». Degas l'attaqua aussi personnellement, et Pissarro se détacha de lui. Monet écrivit alors à Duret: «Me voilà soudain traité comme un renégat par toute la troupe. Je crois néanmoins qu'il était de mon intérêt de prendre cette décision, car je suis assez certain que je peux faire certaines affaires avec Petit si je participe au Salon.» Monet ne se trompait pas, car le marchand d'art Georges Petit, un concurrent de Durand-Ruel, acheta effectivement trois tableaux de Monet par la suite. L'une des conséquences de ces querelles fut que Monet décida de ne participer ni au Salon ni à l'exposition impressionniste l'année suivante.

Outre Monet, il y avait aussi vers 1880 quelques autres peintres du groupe chez qui on pouvait observer une confrontation plus critique par rapport à leur propre peinture. Renoir vit par exemple dans l'imprécision et la forme divisée de l'impressionnisme un danger qu'il chercha à prévenir dans les années 80 en revenant temporairement à la ligne sévère et à la forme fixe.

Pissarro entra vers 1884 en contact avec le néo-impressionnisme

La Débâcle près de Vétheuil, 1880
Huile sur toile, 65 x 93 cm
W.I. 572
Paris, Musée d'Orsay

autour de Georges Seurat. Par la suite, il passa jusque vers 1888 du «désordre» de la touche impressionniste à la division systématique du pointillisme. Selon les connaissances scientifiques basées sur la théorie des couleurs d'Eugène Chevreul, des points qui devaient provoquer une intensité lumineuse plus vive après le mélange optique étaient soigneusement juxtaposés sur la toile. De plus, Sisley et Cézanne avaient décidé comme Monet et Renoir de participer au Salon cette année-là, de sorte qu'en substance, Pissarro représentait dans l'exposition collective la direction originelle de l'impressionnisme par opposition à Degas et à son cercle. Cette cinquième exposition impressionniste portait le titre d'«Exposition de peintres indépendants» préconisé par Degas.

A cette époque, Monet fut aussi davantage confronté à la critique au sujet de la réalisation et du fini de ses œuvres, si bien qu'il était constamment en proie à des doutes au sujet de la valeur de sa peinture et de la problématique de sa réalisation. Mais bien que Monet soulignât toujours à nouveau qu'il était et demeurait un peintre de «plein air», cela ne faisait que nourrir des mythes ne correspondant absolument pas à la réalité, car Monet peignait aussi en atelier depuis longtemps. Les œuvres qu'il avait soumises au

Paysage, Vétheuil, 1879
Huile sur toile, 60 x 73 cm
W.I. 526
Paris, Musée d'Orsay

Salon y avaient également été réalisées. A cela venait s'ajouter le souci constant d'argent et ses relations énigmatiques avec Alice.

A l'occasion de la première exposition individuelle de ses œuvres qui eut lieu en juin 1880 dans la galerie de la revue «La Vie Moderne», Monet nourrit beaucoup de ces préjugés courants au sujet de l'impressionnisme dans une interview accordée à Emile Taboureux à Vétheuil, et expliqua en même temps pourquoi il avait quitté le groupe. «Je suis et serai toujours un impressionniste . . . mais je ne vois plus que rarement mes compagnons de lutte, hommes et femmes. La petite communauté est aujourd'hui devenue une école banale ouvrant ses portes au premier barbouilleur venu.» Ce coup de bec de Monet se rapportait non seulement à Jean-François Raffaeli que Degas avait fait entrer dans le groupe, mais aussi à Paul Gauguin qui exposait pour la deuxième fois avec ces peintres et que Monet méprisait.

Lors de son exposition individuelle, Monet put montrer la «débâcle» refusée par le Salon ainsi que 17 œuvres, surtout des vues de Vétheuil. Certains motifs avaient été repris plusieurs fois pour étudier le changement du paysage à divers moments de la journée et de l'année et sous toutes les conditions atmosphériques. L'exposition fit sensation auprès de la jeune génération, par exemple auprès du néo-impressionniste Paul Signac qui devint célèbre plus tard. Monet devait entrer dans un nouveau rôle, car il était devenu une figure de père héroïque pour la jeune génération de peintres indé-

pendants. L'exposition fut également accueillie avec bienveillance par la presse. La position de Monet se consolida peu à peu. Il trouva de nouveaux collectionneurs et amateurs de son art comme le banquier Charles Ephrussi, le futur propriétaire de la «Gazette des Beaux-Arts» qui consacrait des articles au mouvement impressionniste depuis 1880. Marcel Proust s'inspira de cette brillante personnalité dans son cycle «A la recherche du temps perdu» pour décrire le protecteur du peintre impressionniste Elstir. Monet trouva également de nouveaux commanditaires de portraits dans la famille Coqueret qui était sa voisine à Vétheuil et ce, bien que la figure humaine disparût de plus en plus de ses œuvres. Les toiles comme *Femme assise sous les saules* (repr. p. 118), où l'on reconnaît la silhouette d'Alice, sont rares. Alice était horriblement jalouse de tous les modèles féminins, et Monet avait en outre toujours mis l'accent sur les représentations de paysages.

En septembre 1880, Monet fut invité par son frère Léon à aller le voir à Rouen, ce qui constitua pour lui une agréable distraction. Léon, qui admirait les œuvres de Claude, l'emmena dans sa maison de campagne aux Petites-Dalles, une petite station balnéaire sur la côte normande, près de Fécamp. Les imposantes falaises calcaires des environs faisaient partie des curiosités touristiques et fournirent à Monet une coulisse dramatique correspondant à son état d'esprit. Bien qu'il n'ait réalisé que quatre tableaux pendant ce séjour, les nombreux motifs de marines qu'il peignit sur la côte normande au

Vétheuil en été, 1880
Huile sur toile, 60 x 99,7 cm
W.I. 605
New York, Metropolitan Museum of Art, legs de William Church Osborn, 1951 (51.30.3)

REPRODUCTION PAGE 118:
Femme assise sous les saules, 1880
Huile sur toile, 81 x 60 cm
W.I. 613
Washington (D.C.), National Gallery of Art, collection Chester Dale

Champ de blé, 1881
Huile sur toile, 65 x 81 cm
W.I. 676
Cleveland (Ohio), Cleveland Museum of Art,
legs de Mme Henry White Cannon, 47.197.

cours des années suivantes ont leur origine en cet endroit. De retour à Vétheuil, Monet dédia pendant l'hiver 1880/81 une série au thème de l'inondation à l'occasion d'un fort dégel. On y reconnaît la Seine ayant largement débordé et inondant les environs, submergeant de nombreux arbres.

L'année 1881 apporta des espoirs à Monet. La base commerciale de Durand-Ruel s'était suffisamment stabilisée et, au début de l'année, il put conclure avec Monet un contrat l'engageant à acheter régulièrement à ce dernier un grand nombre de tableaux. A partir de ce moment, le peintre et le marchand d'art restèrent en contact épistolaire. Leur correspondance entre-temps publiée donne aujourd'hui encore d'importants aperçus de l'œuvre de Monet. Le soutien massif qu'on lui accorda confirma Monet dans sa décision de renoncer définitivement à participer au Salon. La perspective de recevoir des sommes mensuelles régulières le tranquillisa, ce qui se traduisit par des œuvres mieux élaborées et par un plus grand courage pour faire des expériences et chercher de nouveaux motifs. Son refus de participer à la sixième exposition impressionniste ne fut pas dû en dernier lieu aux expériences négatives de l'année précédente.

A cause du grand succès qu'il remporta avec ses marines, Monet décida à la fin de l'hiver de retourner à Fécamp, sur la côte normande. Les fruits de ce séjour sont des tableaux comme *écamp, bord de la mer* (repr. p. 120) qui se termine à gauche par un mur calcaire tandis que le regard s'ouvre à droite sur la mer mugissante, écumante et démontée. La touche inhabituellement expressive correspond au motif.

Fécamp, bord de la mer, 1881
Huile sur toile, 67 x 80 cm
W.I. 652
Etats-Unis, collection particulière

Quand Monet quitta la côte au printemps pour retourner à Vétheuil, il était clair pour lui qu'il allait abandonner ce domicile. Il y avait suffisamment de raisons à cela, comme son loyer en souffrance depuis longtemps et le contrat de location se terminant à l'automne, mais aussi l'attitude nettement hostile du village à l'égard de cette «étrange» communauté qui ne cadrait pas très bien avec l'image habituelle. En mai, Monet pria donc Zola d'aller reconnaître le petit village de Poissy qui n'était pas très éloigné du domicile de l'écrivain. Toutefois, le déménagement définitif n'eut lieu qu'en décembre. Alice avait décidé de suivre Monet à Poissy. Si l'on avait jusque-là pu expliquer de quelque façon sa vie commune avec Monet par les soins apportés à Camille malade et par sa mort, cette décision se heurta à la surprise générale. Ernest Hoschedé, qui habitait depuis longtemps à Paris, dut être effondré, car cela faisait longtemps qu'il influait sur Alice pour qu'elle revienne près de lui à Paris. La situation qui en résulta pour Monet était absolument équivoque, si bien qu'il essaya d'éviter Ernest à l'avenir. Les lettres qu'il écrivit au cours des années suivantes montrent aussi de plus en plus clairement combien il était déjà attaché à Alice.

Pendant l'été 1881, Monet termina la triste période de Vétheuil avec *Le Jardin de Monet à Vétheuil* (repr. p. 102), comme tableau d'adieu. Il existe trois versions comparables plus petites de cette œuvre à laquelle Monet donna ultérieurement la date de 1880; ces

Mer agitée, 1881
Huile sur toile, 60 x 74 cm
W.I. 663
Ottawa, National Gallery of Canada

versions montrent également la vue sur l'allée centrale et les escaliers du jardin de Monet, tandis que la maison séparée par la rue apparaît au fond. Par rapport aux années précédentes, ces tableaux sont caractérisés par une incroyable intensité lumineuse et une atmosphère gaie annonçant l'époque de Giverny. Pour intensifier l'effet de la couleur, Monet emploie, comme dans les œuvres d'Argenteuil, une touche fragmentée de tons complémentaires. Les merveilleuses ombres colorées assouplissent la composition fortement verticale et horizontale. Les figures du petit Jean-Pierre Hoschedé et de Michel Monet s'insèrent dans l'ambiance luxurieuse comme une partie de la nature. Monet avait toujours porté un vif intérêt aux jardins en fleur, et le jardin de Giverny fut son motif préféré pendant les 25 dernières années de sa vie.

Poissy 1881–1883
«Eveil et nouvel espoir»

Poissy, une petite localité qui comptait 6000 habitants à l'époque, se trouve en amont, à quelque 20 kilomètres au nord-ouest de Paris sur la rive droite de la Seine. Les grandes nouveautés industrielles n'avaient pas encore touché cette ville. Bien que les familles Hoschedé et Monet eussent été logées beaucoup plus confortablement qu'à Vétheuil dans la villa Saint-Louis qui avait vue sur la Seine, elles ne s'y sentirent jamais très bien. Monet n'aimait pas tellement cet endroit, de sorte qu'il ne peignit à Poissy que quelques toiles, des natures mortes et des portraits, et une seule représentation de la localité, *Les Tilleuls à Poissy* (1882; collection particulière).

Monet se rendit donc dès le mois de février 1882 sur la côte normande où il loua tout d'abord un appartement à Dieppe. Soutenu financièrement par Durand-Ruel, il ne tarda pas à s'installer à Pourville, un petit village de pêcheurs situé à cinq kilomètres à l'ouest de Varengeville. Monet y resta jusqu'au début d'octobre avec de courtes interruptions. Il se trouvait dans une phase extraordinairement créatrice et travaillait comme «un fou» sous et sur les falaises calcaires à des vues dramatiques sur la mer (repr. p. 122) et à *La Cabane du douanier à Varengeville* (repr. p. 126) qui était proche. Il préférait, surtout dans la série des cabanes de douaniers, les compositions asymétriques où l'opposition des surfaces triangulaires, des rochers, de la mer et du ciel joue un rôle décisif pour associer la profondeur. Quand on les regarde de très près, les structures des surfaces semblent se déplacer rythmiquement. Ici aussi, Monet se rapproche de l'endroit topographique en exécutant plusieurs fois le même motif dans des conditions atmosphériques différentes. L'idée de la série que Monet développa pleinement dans les années 90 est de plus en plus appliquée.

Pendant le séjour que Monet effectua sur la côte normande, le groupe impressionniste eut des débats animés à propos de la septième exposition impressionniste. Pissarro, qui s'était chargé de l'organisation avec Caillebotte, put persuader Monet d'y participer bien que ce dernier se rappelât encore fort bien le comportement de Degas et d'autres membres du groupe en 1880. Les divergences étaient grandes. Degas et Renoir refusèrent d'exposer avec le «dic-

Pêcheurs à Poissy, 1882
Dessin au crayon, 25 ×34 cm
Cambridge, Mass., Fogg Art Museum, Harvard University

La Falaise à Dieppe, 1882
Huile sur toile, 65 x 81 cm
W.II. 759
Zurich, Kunsthaus Zürich

Sur la côte à Trouville, 1881
Huile sur toile, 59,7 x 81 cm
W.I. 687
Boston, Museum of Fine Arts, collection John Pickering Lyman, don de Theodora Lyman, avec l'aimable autorisation du musée

tateur» Gauguin, tandis que Morisot fit dépendre sa participation du consentement de Monet. Monet exigea pour sa part la participation de Renoir et de Caillebotte. Après des querelles sans fin dans lesquelles Durand-Ruel servit d'intermédiaire, l'exposition des «Indépendants» put être inaugurée le ler mars 1882 au n° 125, rue Saint-Honoré. Seuls neuf artistes y participèrent, Degas et Cézanne étaient absents.

Les salles n'étaient pas très bien choisies, car un médiocre panorama représentant une scène de la guerre franco-allemande était entreposé dans le même bâtiment. Ce genre de panoramas peints faisait partie des importants médias de l'époque. Ils étaient généralement arrangés dans des rotondes érigées à cet effet avec des panneaux circulaires ayant surtout des thèmes historiques et champêtres. On pouvait les contempler à partir d'une estrade surélevée située au milieu de la pièce. Cela devait donner à l'observateur l'illusion qu'il avait devant lui la nature réelle et non pas la nature peinte. Les panoramas ne perdirent leur attraction que vers le tournant du siècle avec l'arrivée du film, c'est-à-dire des images animées. Pour Monet, qui était fortement représenté avec 35 tableaux, cela devait être la dernière participation à une exposition impressionniste. Durand-Ruel avait choisi des marines, des paysages et des natures mortes portant des titres vagues, comme le souhaitait Monet, afin qu'il soit possible de les modifier si nécessaire. La presse se montra bienveillante à l'égard des tableaux, et Manet fit l'éloge des remarquables paysages hivernaux et fluviaux de l'époque de Vétheuil.

Monet était retourné pour quelque temps à Poissy au mois de mai, car les enfants avaient été malades l'un après l'autre. Parce que Poissy ne lui plaisait pas, il loua de juin à octobre la villa Juliette

L'Eglise de Varengeville, soleil couchant, 1882
Huile sur toile, 65 x 81 cm
W.II. 726
Collection particulière

à Pourville avec Alice et les enfants. La vie commune le détendit. Blanche Hoschedé reçut ses premières leçons de peinture, et Monet créa au cours d'une phase de travail intensif des tableaux comme *La Promenade sur la falaise, Pourville* (repr. p. 127). Dans les vues de *L'Eglise de Varengeville,* (repr. p. 125), il prit prétexte des écueils pour une création expressive, où la formation rocheuse entre dans le mouvement passionné de la touche. Chez Monet, les moments tranquilles alternaient avec de profondes dépressions au cours desquelles il doutait de ses travaux et de son talent artistique et détruisait beaucoup de toiles. Le temps pluvieux, l'absence de soleil et l'ennui d'Alice y étaient pour quelque chose. Un petit voyage à Rouen en compagnie des enfants n'apporta qu'une brève diversion. L'été se termina donc en octobre, quand Monet quitta Pourville, plutôt déprimé. Mais la vie commune à Poissy était de plus en plus difficile, elle aussi. Alice, qui n'était pas habituée aux continuels soucis d'argent, n'épargnait pas les reproches, et son mari Ernest ne pouvait plus se rendre à Poissy qu'en l'absence de Monet.

Monet profita de l'automne pour retoucher des tableaux qu'il avait rapportés de la côte normande et qui n'avaient pu être terminés sur place à cause du mauvais temps. Il reprit également des natures mortes. Monet songeait à quitter Poissy, et cette pensée fut encore renforcée quand la maison fut inondée en décembre. Mais il put faire un bilan positif vers la fin de l'année, car ses ventes à Durand-Ruel marchaient bien et ses marines remportaient un grand succès. C'était pour lui une raison de plus d'échapper à Poissy et à sa fâcheuse atmosphère en direction de la côte normande. Son voyage le conduisit en janvier 1883 au Havre et, de là, à Etretat qui était célèbre pour son imposante coulisse rocheuse. Etretat, dont les criques étaient limitées par des falaises calcaires escarpées dominant la mer, était aussi depuis longtemps une attraction touristique pour les peintres et les écrivains. Outre Boudin et Corot, Courbet dont Monet connaissait les œuvres de l'époque (repr. p. 129), y avait également peint. Guy de Maupassant, un poète naturaliste qui, comme Monet, avait grandi sur la côte normande et avec lequel il séjourna à Etretat en 1884, fit s'animer plus d'une fois dans ses nouvelles cette coulisse de saillies rocheuses tombant à pic dans la mer. Dans «Miss Harriet» (1883), le portrait du peintre Léon Cheval fait penser aux œuvres que Monet a peintes à Etretat: «Toute la partie droite de mon tableau représentait un rocher, un gigantesque rocher verruqueux couvert d'algues brunes et rouges, et la lumière solaire coulait dessus comme de l'huile. Sans que l'on vit l'astre qui se trouvait derrière moi, la lumière tombait sur le roc et le dorait avec du feu . . . A gauche,

La Cabane du douanier à Varengeville,
1882
Huile sur toile, 60 x 81 cm
W.II. 743
Philadelphie, Philadelphia Museum of Art, collection William L. Elkins

La Promenade sur la falaise, Pourville,
1882
Huile sur toile, 66,5 x 82,3 cm
W.II. 758
Chicago, The Art Institute of Chicago, collection à la mémoire de M. et Mme Lewis Larned Coburn, 1933.443

se trouvait la mer, pas la mer bleue, gris d'ardoise, mais la mer couleur de jade, à la fois laiteuse et dure sous le ciel sombre.» Dans *La Manneporte* (repr. p. 133), un gigantesque arc de pierre se glisse, menaçant, sur la gauche du tableau cette fois, dans une vue rapprochée. Monet ne put peindre cette vue que d'une plage difficilement accessible. La réduction des éléments du tableau, l'intersection et l'asymétrie avec laquelle l'arc est placé dans le tableau, rappellent les estampes d'Hokusai.

On remarque dans ces toiles une tendance à se limiter à des détails essentiels, c'est-à-dire à ne plus transmettre une impression d'ensemble. La mer et les rochers, qui semblent être presque au même niveau au premier plan dans la partie gauche de la toile, ne se distinguent les uns des autres que par leur structure et leur couleur. Tandis que le large, sans forme, parait extrêmement agité à cause des innombrables touches papillotantes bleu, vert et blanc cassé, les structures horizontales du rocher bleu-gris aux contours sévères

Les Rochers à marée Basse, Pourville,
1882
Huile sur toile, 62,9 x 76,8 cm
W.II. 767
Rochester, Memorial Art Gallery of the University of Rochester, don de Mme James Sibley Watson

font penser à de réelles couches rocheuses. Cette polarité de roche dure aux formes précises et de mer agitée dépourvue de forme est liée par une lumière dramatique où alternent les parties claires et les parties ombragées. Car tandis que la surface intérieure de la porte rocheuse est illuminée par une douce lumière rose ôtant à la roche un peu de sa monumentalité, les parties ombragées confèrent dureté et fermeté à l'eau qui déferle. Les éléments s'approchent doucement l'un de l'autre. La reproduction qui engendre l'illusion, l'observation de la nature dans des conditions atmosphériques différentes et une disposition de plus en plus déterminée par la couleur ont ici la même valeur.

Dans un article paru en 1886, Maupassant compara en souvenir d'un séjour commun à Etretat la méthodologie de Monet à celle d'un chasseur qui s'approche en tournant sans cesse autour des sujets, ce qui eut avant tout une correspondance dans les séries. La tendance de Monet à s'approcher toujours plus de sujets monumentaux trouve son apogée dans les Cathédrales de Rouen réduites à une façade et atteint son point culminant dans les Nymphéas de Giverny avec la réduction à une surface d'eau représentée de très près. «Je suivais souvent Monet quand il était à la recherche de nouvelles impressions», écrivit Maupassant. «Il ressemblait moins à un peintre qu'à un chasseur. Il était toujours suivi par une bande d'enfants qui portait cinq à six toiles représentant le même motif en divers moments de la journée, avec divers effets. Il s'en occupait l'une après l'autre et les remettait de côté selon le changement d'éclairage. Il guettait devant son motif, attendait le soleil et les

Gustave Courbet
La Falaise d'Etretat après l'orage, 1869
Huile sur toile, 133 x 162 cm
Paris, Musée d'Orsay

ombres et capturait le rayon lumineux ou le nuage qui passait avec quelques touches . . . Je le vis un jour saisir une scintillante ondée lumineuse sur les falaises et la fixer dans un déluge de tons jaunes rendant avec une étonnante exactitude l'impression éphémère de cet éclat inconcevable et aveuglant. Une autre fois, il saisit une pluie diluvienne qui s'abattait sur la mer, projeta de la couleur sur la toile, et c'était effectivement la pluie qu'il avait peinte de cette façon.»

La coulisse dramatique d'Etretat attira Monet chaque année jusqu'en 1885. Il peignit la plage déserte en hiver avec des barques de pêche (repr. p. 131), les formations rocheuses de la Porte d'Aval, de la Porte d'Amont et de la Manneporte, où l'écume blanche et verte des vagues contraste avec le bleu et le gris des rochers. Seuls quelques rares tableaux d'Etretat ont été terminés sur place. Il écrivit à Alice qui s'inquiétait de sa longue absence qu'il allait rapporter à la maison beaucoup de matériel pour en faire de grandes choses. Monet reprit ainsi la méthode qu'il avait autrefois employée pour le Salon et qui annonce ses œuvres tardives de Giverny. La réalisation des études réalisées en plein air se faisait consciemment dans l'atelier.

Monet conserva longtemps ces marines dans son atelier, et Durand-Ruel dut les réclamer plus d'une fois, car il voulait les montrer dans le cadre d'une exposition individuelle consacrée à Monet prévue pour février 1883 où on ne put toutefois pas les voir. L'exposition fut ouverte le 28 février, boulevard de la Madeleine, dans les locaux de Durand-Ruel. Les 56 toiles donnaient une vaste rétrospective de son œuvre. Néanmoins, Monet était extrêmement mécontent de la

Plage d'Etretat, 1883
Huile sur toile, 66 x 81 cm
W.II. 828
Paris, Musée d'Orsay

présentation à cause du mauvais éclairage; de plus, la presse et les collectionneurs n'avaient pas été suffisamment informés. Monet était donc convaincu que cette «fâcheuse exposition» était une catastrophe qui le faisait reculer au lieu de le faire progresser. Monet trouva un critique engagé en la personne de Gustave Geffroy, un romancier et journaliste qui soutenait avec enthousiasme l'art impressionniste et l'esthétique naturaliste. Tous deux ne firent connaissance personnellement qu'en 1866 pendant un séjour en Bretagne d'où naquit une amitié à vie. Geffroy rédigea entre autres la première monographie approfondie consacrée à Monet (1924) qui fait revivre la naissance de l'impressionnisme.

En avril 1883, Monet se vit contraint de quitter son domicile de Poissy à cause de difficultés matérielles. Soucieux, il chercha dans les environs un nouvel abri pas trop éloigné de Paris où il se rendait une fois par mois. Des dîners impressionnistes offrant aux peintres vivant à la campagne la possibilité de rester en contact avec des écrivains, des peintres et des amateurs d'art sympathisants avaient également lieu chaque mois à Paris, au café Riche. Monet, Pissarro, Renoir, Caillebotte, Sisley, Guillaumin, Charpentier, Bellio, Hoschedé, Rivière et Cézanne assistaient à ces réunions qui durèrent jusqu'en 1894 environ.

La Falaise d'Etretat, vers 1885
Pastel, 21 × 37 cm
Paris, Musée Marmottan

La famille Hoschedé-Monet trouva un nouveau domicile à Giverny. Ce petit village, qui comptait alors 279 habitants, se trouve dans un paysage idyllique à deux kilomètres de Vernon, sur la rive droite de la Seine, à mi-chemin entre Rouen et Paris. Juste après le déménagement rendu possible par le généreux soutien financier de Durand-Ruel, Monet apprit la mort de Manet auquel il rendit les

Etretat, mer agitée, 1883
Huile sur toile, 81 x 100 cm
W.II. 821
Lyon, Musée des Beaux-Arts de Lyon

derniers honneurs à Paris aux côtés de Zola et d'Antonin Proust. Gustave, le frère de Manet, qui avait toujours généreusement soutenu Monet, mourut un an plus tard, si bien que Monet perdit en l'espace de peu de temps deux de ses plus fidèles amis de jeunesse. Ceci marque également le début d'une nouvelle tranche de vie qui commença pour Monet, alors âgé de 43 ans, lorsqu'il alla s'installer à Giverny. Il y passa non seulement la deuxième moitié de sa vie, mais y créa aussi des chefs-d'œuvre qui justifient la célébrité dont il a joui jusqu'à présent.

La Manneporte, 1883
Huile sur toile, 65,4 x 81,3 cm
W.II. 832
New York, Metropolitan Museum of Art,
legs de William Church Osborn, 1951.
(51.30.5)

A GAUCHE:
Détail, grandeur originale

Giverny 1883–1926
«La légende a commencé»

La maison rose aux volets verts que Monet habita jusqu'à sa mort à Giverny était suffisamment spacieuse pour abriter une famille de dix personnes, et Monet put aménager un atelier dans la grange, dans la partie ouest du bâtiment. Il y avait également un grand verger entouré d'un mur, dans la tradition des fermes normandes. Dans le jardin, une allée droite menait du bâtiment d'habitation à un portail derrière lequel passaient les rails de la ligne de chemin de fer Gisors-Vernon. Le pré contigu avec des saules et une mare était traversé par le Ru, un bras de l'Epte qui se jette dans la Seine dans la direction de Vernon.

Là, au bord de la Seine, Monet s'installa une remise pour abriter ses barques, et il s'en fut fréquemment faire des excursions de peinture en amont, à Port-Villez et à Jeufosse, et en aval, à Vernon. Au cours des années suivantes, Monet transforma le jardin en une mer susurrante de fleurs qui lui offrait suffisamment d'attraits pittoresques par n'importe quel temps. L'amour du jardinage provenant de l'époque d'Argenteuil s'accrut avec le temps. Bien que Monet fût enthousiasmé par le paysage de Giverny ou il avait enfin trouvé le calme et dont les près et les paysages d'eau étaient ses motifs préférés, les nombreuses transformations et nouvelles créations l'empêchèrent de peindre pendant longtemps. Il se tourna donc pour la première fois vers les environs immédiats de Giverny, vers les vues de Port-Villez, pendant l'été 1883. Durand-Ruel dut attendre les premiers tableaux de Giverny jusqu'en octobre. Il avait organisé sans grand succès une exposition d'œuvres impressionnistes à Londres pendant l'été pour faire mieux connaître les travaux de Monet à l'étranger et trouver de nouveaux acheteurs.

En août, Durand-Ruel lui avait demandé de projeter des chambranles de porte décoratifs pour la salle à manger de son appartement privé à Paris. Ceux-ci devaient partir des fraîches couleurs des tableaux impressionnistes à côté desquels ils devaient être placés; Monet utilisa donc des motifs floraux. Les décorations intérieures végétales de ce genre étaient modernes à l'époque. Elles font particulièrement penser aux intérieurs de l'Art Nouveau des années 90 qui correspondaient à l'intégration de l'art à l'espace vital qu'exigeaient les contemporains. La décoration d'un intérieur avec des

La Manneporte près d'Etretat, 1886
Huile sur toile, 81 x 65 cm
W.II. 1052
New York, Metropolitan Museum of Art, legs de Lizzie P. Bliss, 1931 (31.67.11)

Menton vu du Cap Martin, 1884
Huile sur toile, 65,5 x 81 cm
W.II. 897
Boston, Museum of Fine Arts, collection Julia Edwards. Legs de Robert J. Edwards et don d'Hannah Mary Edwards et Grace M. Edwards à la mémoire de sa mère, avec l'aimable autorisation du musée

motifs de grand format n'était pas nouvelle pour Monet. En 1876, il avait déjà peint quatre tableaux pour décorer la maison de Hoschedé sur commande (repr. p. 91). Après 1885, Monet ne prit plus de commandes de ce genre, surtout parce que ses ventes étaient désormais régulières. Les décorations destinées à Durand-Ruel l'occupèrent pendant longtemps. Il avait apparemment beaucoup de mal à peindre à l'époque, de sorte qu'il se plaignit à Durand-Ruel d'avoir toujours plus de difficultés à réaliser ce dont il était toujours venu à bout sans peine autrefois. Il cherchait de nouvelles sources d'inspiration et fit un bref séjour dans le sud en compagnie de Renoir en décembre 1883. Les deux artistes allèrent de Marseille à Saint-Raphaël et Monte-Carlo, puis à Bordighera sur la Riviera italienne, et au retour à l'Estaque où se trouvait Cézanne. A peine Monet était-il rentré pour voir une rétrospective de Manet à Paris qu'il fut certain de retourner à Bordighera, le plus bel endroit du voyage, pour créer de nouvelles œuvres.

Mais cette fois, il voulait voyager sans Renoir, car il avait «toujours mieux travaillé dans la solitude et uniquement sur la base de ses impressions», précisait la justification caractéristique de Monet. Il loua d'abord un logement à Bordighera, puis à Menton, où il obtint l'autorisation de travailler dans le jardin de Monsieur Moreno où poussaient les plus merveilleux palmiers de la côte et où furent créés les *Palmiers à Bordighera* (repr. p. 138). Au cours de ce second séjour qui dura de la mi-janvier à la mi-avril 1884, il envoya à Alice qui s'inquiétait de sa longue absence des lettres d'amour, mais lui parla aussi du mal de chien qu'il se donnait. Il rapporta que les orangers, les citronniers et les oliviers étaient un thème difficile, qu'il travaillait comme un forcené et que certaines études demandaient six séances, mais que tout était si nouveau qu'il avait du mal à laisser les choses de côté.

Monet exécuta une cinquantaine de toiles, car le paysage et son atmosphère l'enthousiasmaient et le défiaient de trouver de nouvelles couleurs. «Les ennemis du bleu et du rose seront peut-être un peu choqués, car je m'attache justement à rendre cet éclat, cette lumière féerique. Je suis sûr que ceux qui n'ont pas vu ce pays ou l'ont mal vu crieront à l'invraisemblance, quoique je sois bien au-dessous du ton; tout est gorge de pigeon et flamme de punch. Le pays est plus beau de jour en jour et il me passionne», écrivit-il à Durand-Ruel. Il créa effectivement une série de tableaux qui se distinguent par leur intensité vigoureuse et lumineuse, sont bien plus expressifs que la réalité et rappellent non seulement les œuvres de Van Gogh mais aussi celles des Fauves. A cette nouvelle expressivité correspond l'accentuation du rythme curviligne de la végétation qui apparaît également dans la touche dynamique. On voit ici nettement com-

Bordighera, 1884
Huile sur toile, 64,8 x 81,3 cm
W.II. 854
Chicago, The Art Institute of Chicago, collection Potter Palmer, 1922.426

Palmiers à Bordighera, 1884
Huile sur toile, 64,8 x 81,3 cm
W.II. 877
New York, The Metropolitan Museum of Art,
legs de Mademoiselle Adelaide Milton de Groot
(1876–1967), 1967 (67.187.87)

Les Villas à Bordighera, 1884
Huile sur toile, 115 x 130 cm
W.II. 857
Santa Barbara (Cal.), The Santa Barbara
Museum of Art

ment la sensation devant le motif devient pour le peintre un important moment de la création et comment il laisse derrière lui la phase d'Argenteuil. A la mi-avril, Monet rentra à Giverny, richement chargé de toiles et d'impressions nouvelles, ce qui était plutôt problématique, car la douane italienne ne voulait pas laisser passer ses œuvres de l'autre côté de la frontière.

Durand-Ruel dont les affaires périclitaient en France partit donc en Amérique et put seulement acheter une petite partie des nouvelles toiles. Monet se vit donc obligé de prendre à nouveau contact avec d'autres marchands comme Petit et Adolphe Portier. Durand-Ruel reprocha plus tard à Monet d'avoir opéré habilement et de s'être servi ingratement d'un marchand contre l'autre, mais ce n'était rien d'autre qu'un point de vue commercial que Monet voulait aussi voir représenté en peinture. Des marchands d'art comme Portier rendirent visite à l'artiste à Giverny pour lui acheter directement des toiles. Ce marchand était également prêt à faire des échanges avec des œuvres d'autres impressionnistes. Monet lui doit en partie sa collection exclusive de tableaux impressionnistes. Il possédait douze Cézannes, neuf Renoirs, quatre Manets, trois Pissarros, cinq Morisots ainsi que des œuvres de Sisley, Degas, Fantin-Latour, Daubigny, Corot, Delacroix, Jongkind, Boudin, mais aussi de jeunes peintres comme Signac, Vuillard et Albert Marquet. Effectivement, la situation financière de Monet s'améliora visiblement à cette époque, si bien que Gauguin raconta un peu plus tard à sa femme que Monet gagnait environ 100 000 francs par an.

En août 1884, Monet se rendit de nouveau avec les enfants sur la côte normande à Etretat où il rencontra le chanteur Jean-Baptiste Faure et sa femme; ceux-ci y possédaient une villa qu'ils devaient mettre à sa disposition l'année suivante. Ce séjour ne fut guère fertile à cause du mauvais temps et de la constante présence des enfants. De retour à Giverny, il se consacra pendant l'automne et l'hiver à diverses vues des environs. Le printemps 1885 apporta une participation à la quatrième exposition internationale de peinture, chez Petit, où Monet montra dix paysages. Répondant à l'invitation de Faure, Monet retourna en septembre 1885 à Etretat où il séjourna jusqu'au début du mois de décembre. Les fruits de ce séjour sont des marines importantes comme *La Manneporte* (repr. p. 134) et *Bateaux sur La Plage à Etretat* (repr. p. 141), un tableau qui impressionna vivement Van Gogh, surtout par son expressivité.

Chez les jeunes artistes indépendants, l'admiration pour l'œuvre de Monet était grande, comme Theo Van Gogh, qui était alors le directeur de la filiale parisienne de la galerie Goupil, le déclara plusieurs fois à son frère Vincent. Monet était exposé à tous points de vue à un besoin de succès croissant qui – lié à ses propres conceptions perfectionnistes de sa peinture – le plongea parfois dans des dépressions et des doutes paralysant son travail, entraînant toutefois aussi la délimitation de son art. Le couple Morisot-Manet (Berthe Morisot avait épousé Eugène Manet, un frère d'Edouard, en 1874) qui admirait son talent sans limites faisait également partie

Bateaux sur la plage à Etretat, 1885
Huile sur toile, 65,5 x 81,3 cm
W.II. 1024
Chicago, The Art Institute of Chicago, collection Charles H. et Mary F.S. Worcester, 1947.95

de ses partisans. Leurs dîners réguliers à Paris, auxquels Monet participait quand il séjournait là-bas, permettaient entre autres aux jeunes artistes de faire la connaissance de Monet dont la célébrité ne faisait que croître.

Parmi les nouveaux contacts de Monet, citons non seulement le romancier Maupassant qu'il avait déjà rencontré à Etretat et qui lui rendit visite à Giverny à l'automne, mais aussi l'écrivain Octave Mirbeau. Comme Monet, il prenait part aux dîners du café Riche, aux rencontres des Bons Cosaques et était invité aux réunions de la Banlieue présidées par Edmond de Goncourt. Tous deux étaient des adeptes de la voile et en firent ensemble sur la côte normande en 1895. Leur passion commune pour le jardinage et les fleurs rares qu'ils partageaient avec Caillebotte, un hôte bienvenu à Giverny, fut toutefois plus décisive. Mirbeau ne tarda pas à devenir l'un des auteurs préférés de Monet, car il se sentait proche de son art comme le montrent aussi leurs sentiments analogues à l'égard de la nature,

George Seurat
La Grande Jatte, 1884–86
Huile sur toile, 207,6 x 308 cm
Chicago, The Art Institute of Chicago, collection à la mémoire d'Helen Birch Bartlett, 1926.224

Autoportrait de Claude Monet, coiffé d'un béret*, 1886
Huile sur toile, 56 x 46 cm
W.II. 1078
Collection particulière

lorsque Mirbeau écrivit à l'époque à Monet à l'occasion d'une rencontre prévue: «Nous ne parlerons, comme vous le dites, que de fleurs, puisque l'art et la littérature sont pure peine. Seule la terre a de l'importance, et je l'aime comme on aime une femme.» Pour Monet aussi, le retour à la nature procurait la sécurité désirée, le rêve maudit et la guérison, ce qui se confirma toujours plus dans sa peinture.

L'année 1886 révéla non seulement un tournant dans l'art de Monet, mais aussi dans l'art du XIXe siècle en général. Ce fut l'année de la huitième et dernière exposition impressionniste à laquelle Monet ne participa pas, malgré les efforts de Pissarro. Il n'éprouvait absolument aucune sympathie pour les nouvelles tendances qui y étaient représentées et se manifestaient dans les œuvres néo-impressionnistes de Seurat, de Signac et de Pissarro. Car le néo-impressionnisme apparut juste au moment où le style de Monet commençait à s'imposer et il dut donc lui faire l'effet d'une concurrence. Les néo-impressionnistes tentèrent d'ériger le principe impressionniste de la division des couleurs, de la juxtaposition de couleurs pures en une méthode de travail stricte et schématique. Ils s'appuyèrent sur les récentes découvertes scientifiques de la théorie des couleurs et de l'optique. En faisaient entre autres partie la théorie du contraste des couleurs simultané de Chevreul (1839 et 1869), les dissertations scientifiques de Hermann von Helmholtz, de même que les théories des formes de Charles Blanc (1867). Ils comprenaient leur art comme un impressionnisme exact, objectif et scientifiquement fondé qui devait remplacer l'ancien impressionnisme ressenti comme arbitraire, subjectif et romantique. Dans l'esprit de Cézanne, ils cherchèrent à conférer au paysage un aspect définitif et une impression de durée. Mais contrairement au désir d'harmonie encore plus grande avec l'aspect coloré de la réalité, les œuvres néo-impressionnistes devinrent, en raison de leur schématisme, plus subjectives et plus artificielles que l'impressionnisme qui devait être surmonté. Pissarro abandonna dès 1888 cette méthode à cause de sa rigidité dogmatique et de sa «monotonie mortelle» au profit d'une facture plus libre. Bien que la peinture du néo-impressionnisme n'eût été représentée qu'en 1884 au premier Salon des Indépendants avec la *Baignade à Asnières* de Seurat (1883/84; Londres, National Gallery), elle avait déjà la prépondérance lors de la huitième et dernière exposition impressionniste, quand Seurat exposa sa célèbre œuvre intitulée *la Grande Jatte* (repr.p. 143).

1886 fut également l'année où Van Gogh arriva à Paris et parvint à une peinture claire et montée en couleur à cause de sa rencontre avec les œuvres impressionnistes. A cette époque, Gauguin séjourna pour la première fois à Pont-Aven, en Bretagne, où il créa l'Ecole de Pont-Aven avec Emile Bernard en 1888. Sa peinture du «Synthétisme» exerçait une grande influence sur un nouvel art symboliste qui devait de nombreuses impulsions à la littérature symboliste apparue depuis 1880. Citons avant tout Stéphane Mallarmé et Joris-Karl Huysmans dont le roman «A rebours» (1884) devint le manifeste de l'art de vivre symboliste. Leurs buts furent définis dans la revue éphémère «Le Symboliste» (à partir de 1885) et dans le «Manifeste du Symbolisme» de Jean Moréas (1886). Ce nouvel art ne devait plus reproduire la banale réalité de façon naturaliste, mais renvoyer aux rapports secrets et invisibles des choses dans le monde. Dans ce sens, les paysages furent compris comme porteurs d'impressions et de forces élémentaires, à partir de quoi il fut possible d'établir un rapport entre le symbolisme et le romantisme.

Depuis 1880, Monet montrait de plus en plus un rapport idéal avec ce genre d'idées, et la proximité de l'attitude intellectuelle de Mallarmé devint évidente dans son œuvre tardive. Ce genre de rapport fut également évident quand Monet participa en 1886, vraisemblablement sur la pression d'Octave Maus, à l'exposition des «Vingt», une association d'artistes fondée en 1884 qui fournit d'importantes contributions au symbolisme européen. L'exposition impressionniste organisée au printemps 1886 par Durand-Ruel à New York où Monet était représenté par 48 tableaux devait être un succès grandiose pour lui et contribua à faire connaître son œuvre à l'étranger.

Dans son roman «L'Œuvre» publié en 1886, Zola approuvait moins les œuvres de Monet et de ses camarades impressionnistes, car ce livre était un règlement de comptes avec la peinture de l'impressionnisme. La publication du livre amena la rupture définitive entre Zola et Cézanne, car le peintre crut se reconnaître dans le personnage principal du roman, l'artiste Claude Lantier. Mais Monet et Pissarro furent également horrifiés et eurent peur que ce livre ne leur nuise auprès du public. Monet écrivit à Pissarro: «Avez-vous lu le livre de Zola? Je crains qu'il ne nous fasse beaucoup de tort.» Zola avait effectivement utilisé littérairement divers peintres impressionnistes qu'il connaissait personnellement pour camper le personnage de Lantier.

Femme à l'ombrelle, 1886
Dessin au crayon, 53 × 41 cm
Collection particulière

Après un bref voyage en Hollande au printemps 1886, Monet se tourna pendant l'été vers le paysage de Giverny, et Blanche Hoschedé l'accompagna. *Deux essais de figure en plein air* de grand format (repr. p. 145) pour lesquels Suzanne Hoschedé servit de modèle, comme Camille autrefois, furent créés entre autres dans l'île des Orties, une petite ile proche de l'embouchure de l'Epte dans la Seine. Debout, sur un talus, sa silhouette, qui tient une ombrelle, se dresse vers le ciel.

Il manquait toutefois à ces grandioses compositions peintes à grands traits violents la force d'expression caractérisant les portraits de Camille. Ce fut la dernière tentative de Monet pour représenter des êtres humains en grand format et en entier. Il était toujours à la recherche de nouveaux motifs, et le séjour qu'il effectua en Bretagne de septembre à décembre 1886 lui fournit des motifs absolument nouveaux avec les roches sauvages et sombres de Belle-Ile. Il écrivit à Durand-Ruel: «La mer est incroyablement belle et accompagnée de rochers fantastiques; à propos, l'endroit s'appelle: la mer sauvage . . . Je suis enthousiasmé par ce pays inquiétant,

Essai de figure en plein air, vers la droite, 1886
Huile sur toile, 131 x 88 cm
W.II. 1076
Paris, Musée d'Orsay

Essai de figure en plein air, vers la gauche, 1886
Huile sur toile, 131 x 88 cm
W.II. 1077
Paris, Musée d'Orsay

Les Saules, Giverny, 1886
Huile sur toile, 74 x 93 cm
W.II. 1059
Göteborg, Göteborgs Konstmuseum

REPRODUCTION EN HAUT A DROITE:
Le Printemps, 1886
Huile sur toile, 65 x 81 cm
W.II. 1066
Cambridge (Mass.), Fitzwilliam Museum

Champ d'iris jaunes à Giverny, 1887
Huile sur toile, 45 x 100 cm
W.III. 1137
Paris, Musée Marmottan

surtout parce qu'il me force à aller au-delà de ce que je fais d'ordinaire. Je dois avouer que j'ai beaucoup de mal à rendre cet aspect sombre et terrifiant.»

Monet arriva à un moment propice. Il n'y avait pas de touristes et guère de baigneurs, et lui qui recherchait la solitude était donc seul avec la nature et les simples pêcheurs des environs. Ce fut pour Monet un départ vers l'inconnu auquel il fit face dans les conditions les plus difficiles comme en combat singulier pour le contraindre ensuite par l'image. Ainsi, lorsqu'il peignit *Tempête, Côte de Belle-Ile* (repr. p. 148) auxquel il s'attaqua aussi par le vent et par la pluie, des rafales de vent lui arrachaient parfois sa palette et son pinceau, et il dut attacher son chevalet avec des cordes et des pierres comme le raconta plus tard Gustave Geffroy qui y fit la connaissance de Monet et put l'accompagner pendant qu'il travaillait. Tous deux avaient loué une chambre à Kervilhaouen dans une simple auberge et s'y étaient rencontrés pour la première fois, car Monet ne connaissait jusque-là Geffroy que par lettre. A l'époque, Geffroy collaborait à la revue de Georges Clemenceau «La Justice» et participa de ce fait dans une large mesure à l'amitié ultérieure entre Monet et Clemenceau.

Dans les tableaux réalisés en Bretagne, le déchaînement des vagues contre les rochers sert de prétexte à des contrastes et à des dégradations de couleurs, tandis que l'appréciable renoncement à reproduire de façon naturaliste donne une valeur symbolique aux tableaux. Les masses et les pointes rocheuses sont dramatiquement opposées à la mer, la ligne d'horizon est réduite à un minimum, si bien que

Tempête, Côte de Belle-Ile, 1886
Huile sur toile, 65 x 81,5 cm
W.II. 1116
Paris, Musée d'Orsay

La Côte sauvage, 1886
Huile sur toile, 65 x 81 cm
W.II. 1100
Paris, Musée d'Orsay

l'eau et les rochers occupent presque toute la surface du tableau. Le coloris est à la fois retenu et miraculeusement rehaussé et déterminé par de puissants contrastes. Tandis que dans le tableau *La Côte sauvage* (repr. p. 149) l'atmosphère dramatique vient de la mer agitée par la houle qui semble s'identifier aux rochers, la tension se trouve dans *Les Rochers de Belle-Ile* (Reims, Musée des Beaux-Arts) dans la luminosité où de grandes surfaces ombragées sont opposées à des surfaces baignées de lumière et où le coloris est renforcé de façon irréelle. Dans ces tableaux, le paysage crée l'ambiance des forces élémentaires et de la tension émotionnelle qui se décharge dans une touche floue et abstractive. Monet se consacre entièrement aux qualités dramatiques du lieu comme il l'avait déjà fait dans les surprenantes vues des falaises à Dieppe et des imposantes formations rocheuses à Etretat. Les contrastes élémentaires et les conditions extrêmes du temps et de la luminosité l'avaient occupé depuis les «vues de la débâcle» à Vétheuil et avaient marqué le dépassement

Antibes, effet d'après-midi, 1888
Huile sur toile, 65 x 81 cm
W.III. 1158
Boston, Museum of Fine Arts, don anonyme. Avec l'aimable autorisation du musée

de la peinture impressionniste de l'époque d'Argenteuil. Les vues de Belle-Ile faisaient partie des quinze œuvres que Monet montra en mai 1887 à la sixième exposition internationale de peinture chez Petit. Les critiques étaient divisées à propos de ces inhabituels tableaux. On reprochait à Monet sa grossièreté, sa brutalité et son manque de complaisance picturale, tandis que Mirbeau, entre autres, n'était qu'éloges. Monet put être satisfait du résultat de l'exposition, car presque toutes ses toiles trouvèrent acquéreur.

L'aspect incroyablement émotionnel des œuvres de Belle-Ile fut contrebalancé par le caractère charmant des toiles qu'il exécuta au début de l'année 1888 sur la Côte d'Azur à Antibes où il séjourna de février à mai, au château de la Pinède. Le paysage et la lumière du sud l'enthousiasmèrent: «Ici, il n'y a que du bleu, du rose et de l'or . . . Je travaille d'arrache-pied et me donne un mal fou. Mais je suis très inquiet au sujet de ce que je peins. C'est beau ici et tellement riche en lumières! On nage littéralement dans un air bleu, c'est épouvantable», déclara-t-il à Geffroy. Il avait apparemment le plus grand mal à adapter sa palette aux conditions locales, aux tons bleus et roses s'infiltrant dans l'atmosphère. Il dut se confronter à un problème qui l'avait déjà occupé à Bordighera: comment suggérer dans la peinture la clarté absolue de la lumière solaire. Pour obtenir cette intense luminosité, il opposa par exemple dans *Antibes, effet d'après-midi* (repr. p. 150) des accents très chauds à une pâle série de tons bleus et souligna ces contrastes bleu-rose en plaçant des séries de couleurs soigneusement assorties sous son bleu du midi. Il mélangea en outre davantage ses couleurs avec du blanc et éclaircit les ombres. Monet utilisa à la perfection ces séries de couleurs pour

Montagnes de l'Esterel, 1888
Huile sur toile, 65 x 92 cm
W.III. 1192
Londres, Courtauld Institute Galleries

obtenir des ambiances atmosphériques dans les séries ultérieures des Cathédrales et des Meules. Par la force des choses, cette réalisation et ce fini soigneux durent être effectués en atelier. A la suite de ses expériences personnelles, Monet parvint ainsi à la maxime que Cézanne formula bien des années plus tard: «Je voulais copier la nature, mais je ne le pouvais pas. Je fus toutefois satisfait de moi-même quand je découvris que l'on ne peut pas rendre le soleil, mais qu'il faut le représenter avec quelque chose d'autre . . . avec la couleur.»

Le tableau *Montagnes de l'Esterel* (repr. p. 151) dont le massif peu élevé fait face à la baie de Juan-les-Pins, près d'Antibes, est, comme *Antibes, effet d'après-midi* (repr. p. 150) essentiellement construit horizontalement en raison de l'entassement de surfaces colorées. L'harmonie des couleurs est déterminée par des rangées rapprochées de bleu-orange et de rouge-vert et comprend donc de manière équilibrée la triade de couleurs rouge-jaune-bleu. Comme une arabesque du Jugendstil, la ligne de l'arbre se glisse au premier plan du tableau. Elle rythme et transmet en même temps la notion de devant et de derrière dans l'espace. Monet présenta en juin dix de ses paysages d'Antibes dans la galerie Boussod-Valadon dont le directeur, Theo Van Gogh, lui achetait régulièrement des toiles. Les différends entre Monet et Durand-Ruel s'amplifièrent à cause de cela, si bien que Monet rompit son contrat avec Durand-Ruel. Comme ces nouveaux tableaux furent surtout vendus en Amérique, Mirbeau ne fut pas le seul à se plaindre de cette perte irremplaçable. Mais cet enthousiasme ne fut pas partagé par tous. Pissarro, Degas et Félix Fénéon, le porte-parole des néo-impressionnistes, critiquèrent les dernières créations de Monet, disant qu'elles étaient superficielles et décoratives tout en reconnaissant une signature de maître.

Excepté un court voyage à Londres, Monet passa l'été 1887 à Giverny. Il y avait déjà créé des paysages d'été très poétiques et moins orientés vers la vente comme le *Champ d'iris, environs de Giverny* (repr. p. 147). Il exécuta plusieurs versions des tableaux de rêve qui montrent ses futures belles-filles Suzanne, Marthe, Germaine et Blanche Hoschedé dans une barque sur l'Epte, dans un paysage estival. On reconnaît dans *La Barque* (repr. p. 155) de gauche à droite Germaine, la plus jeune, la jolie Suzanne et Blanche, l'aînée. Il avait voulu fixer de l'eau avec de l'herbe ondulant sous la surface, car «c'est merveilleux à regarder, mais on devient fou quand on veut fixer cela», commenta Monet. Le coloris porté par le vert bleuté de l'eau et de la végétation trouve son complément harmonieux dans les tons roses flatteurs des figures de jeunes filles. Le charme des jeunes filles dans une gaie atmosphère estivale, le calme et la virginité de la nature environnante font penser au roman de Proust intitulé «A l'ombre des jeunes filles en fleurs» (1918). Car là aussi, le douloureux souvenir de la durée éphémère de la jeunesse revient à la vue des «visages de ces jeunes filles dans une aurore qui confond tout d'où les véritables traits n'avaient pas encore jailli (et qui donnent en même temps) un sentiment de rafraîchissement que donne le spectacle de formes sans cesse en train de changer, de jouer en une instable opposition qui fait penser à cette perpétuelle recréation de la nature qui . . . touche si profondément l'âme à chaque fois.»

On voit combien l'idée romantique d'une nature aux traits féminins devient vivante dans ces tableaux du fait que le gracieux rose des figures de jeunes filles semble se métamorphoser en reflets dans toute la nature environnante. L'art symboliste voyait aussi les sources mystérieuses de la vie rassemblées dans ce genre de paysages féminins, comme l'a formulé Mallarmé dans son poème «Le Nénuphar blanc» (1885) pour les Nymphéas que Monet devait peindre par la suite. Effectivement, l'idée d'une unité dynamique de l'être, de l'humain et de la nature se manifesta vers le tournant du siècle dans la peinture, surtout celle du symbolisme et du Jugendstil, par des symboles, des motifs et des thèmes correspondants. Non seulement l'eau, le miroitement des eaux où les choses se réunissent et se fragmentent, joue un rôle, mais aussi le nymphéa qui ne pousse que sur un sol marécageux et semble donc être particulièrement lié aux sources de la vie entière. Les tableaux ultérieurs de nymphéas sont, tout comme la «barque», étroitement liés au mythe de la femme courant dans l'art au tournant du siècle.

Si l'on compare les paysages rocheux dramatiques et sombres d'Etretat et de Belle-Ile aux tableaux charmants, lumineux et plus décoratifs de Bordighera et d'Antibes, le paysage masculin et féminin au sens romantique qui concerne le choix et le traitement des travaux dans l'œuvre de Monet devient évident. En même temps, les tendances contradictoires de Monet, qui devaient trouver une solution dans les paysages de Nymphéas, sont définies.

Champ de coquelicots, environs de Giverny, 1885
Huile sur toile, 65,2 x 81,2 cm
W.II. 1000
Boston, Museum of Fine Arts, collection Juliana Cheney Edwards, avec l'aimable autorisation du musée

Des ambiances sérieuses et dramatiques sont également reprises dans les paysages de la Creuse peints au printemps 1889. Geffroy et Monet avaient été en février 1889 les invités du poète et musicien Maurice Rollinat à Fresselines dans la vallée de la Creuse, une région relativement vierge et à la population clairsemée située entre Orléans et Limoges. Monet fut enthousiasmé. Pendant la journée, il battait la campagne avec Rollinat et le soir, il écoutait attentivement ses compositions musicales d'après des textes de Baudelaire ou d'après ses propres poèmes. Il décida donc en mars, alors qu'il y avait une nouvelle exposition de ses œuvres chez Boussod-Valadon, de passer trois mois à Fresselines. Mais le mauvais temps le réduisit au désespoir et il passa par des phases de profond abattement et de tourment. «Je suis profondément abattu, presque découragé et si fatigué que je suis presque malade . . . Jamais je n'ai eu autant de malchance avec le temps! Pas trois jours propices de suite, de sorte que je suis obligé d'apporter constamment des modifications, car

REPRODUCTION A GAUCHE:
La Barque, 1887
Huile sur toile, 146 x 133 cm
W.III. 1154
Paris, Musée Marmottan

REPRODUCTION A DROITE:
En Canot sur l'Epte, 1890
Huile sur toile, 133 x 145 cm
W.III. 1250
São Paulo, Museu de Arte
de São Paulo

REPRODUCTION EN BAS:
En Norvégienne, 1887
Huile sur toile, 98 x 131 cm
W.III. 1151
Paris, Musée d'Orsay

Les Eaux semblantes, Creuse, effet de soleil, 1889
Huile sur toile, 65 x 92,4 cm
W.III. 1219
Boston, Museum of Fine Arts, collection Juliana Cheney Edwards, legs de Robert J. Edwards à la mémoire de sa mère, 1925. Avec l'aimable autorisation du musée

tout pousse et verdit. Et pendant ce temps, je rêve de peindre la Creuse telle que nous l'avons vue (en février)! Bref, par suite des changements, je fais des recherches sur la nature sans pouvoir la saisir. Et puis ce fleuve qui tombe, puis remonte, vert un jour, jaune le lendemain, et pour finir à sec», se plaignit-il à Geffroy.

Par opposition à la luminosité et à la finesse des tableaux peints à Antibes l'année précédente, Monet avait voulu rendre une sévère atmosphère hivernale. Mais la pluie persistante retarda son travail, et les premiers bourgeons apparurent sur l'arbre qu'il voulait peindre. Au lieu d'abandonner son idée originelle, il fit ôter sans hésiter les premiers messagers du printemps par deux ouvriers agricoles afin de pouvoir peindre ce qu'il avait prévu. Ce n'est pas la première fois que la nature est subordonnée à l'art et mise à son service. Parmi les 23 paysages de la Creuse conservés, on peut distinguer différents groupes où un motif presque identique fut pris sous plusieurs variations à chaque fois. *Les Eaux semblantes, Creuse, effet de soleil* (repr. p. 156) fait par exemple partie d'un ensemble comprenant huit autres compositions identiques ne différant guère de par leur format et de par leur point de vue. Elles se distinguent avant tout par les différentes luminosités, selon le temps et le moment de la journée. L'idée de la série, qui s'est développée dans les tableaux de *La Debâcle* (repr. p. 115), les marines de *Belle-Ile* (repr. p. 148/149) et les *Barques* (repr. p. 154/155) de Giverny, semble s'y cristalliser.

Les Eaux semblantes, Creuse, effet de soleil (repr. p. 156) est déterminé par de grandes masses rocheuses s'emboîtant les unes dans les autres de droite et de gauche, et la zone la plus claire, celle de l'eau s'interpose devant, à droite. Elle est la seule à capter la lumière de la mince bande de l'horizon, en haut du tableau, où le ciel couvert se déchire un instant. L'atmosphère dramatique est nourrie par les couleurs relativement sombres brun, bleu, violet, pour lesquelles les surfaces fissurées des rochers ne semblent plus être que prétexte. Une fois de plus, les rapports des éléments deviennent vivants dans ces paysages, comme le jeu de la lumière dans le ciel et à la surface des sujets, dans les formes desquels l'atmosphère extrême trouve son contrepoids pictural. La peinture incroyablement expressive et la force des couleurs font absolument penser au futur expressionnisme.

Les critiques contemporains, qui se manifestèrent à l'occasion de la présentation de ces tableaux chez Petit en juin 1889, supposèrent toutefois chez Monet une maladie des yeux parce qu'il s'écartait des couleurs naturelles. C'est là un reproche non justifiable du point de vue historique que l'on retrouve d'ailleurs jusqu'à présent dans toutes les critiques relatives à l'art impressionniste. Et pourtant, cette exposition, à laquelle Monet participa avec Auguste Rodin et qui donnait un aperçu des années 1864 à 1889 avec 145 œuvres, remporta un énorme succès. Une grande partie des paysages de la Creuse fut directement vendue en Amérique où la renommée de Monet ne cessait de croître. Ceci était en partie dû à l'entremise du peintre anglo-américain John Singer Sargent avec lequel Monet entretenait des rapports étroits. Cette année-là, Monet atteignit un point culminant de sa carrière artistique. Il fut représenté par trois tableaux à l'Exposition universelle à Paris qui était en même temps une fête en l'honneur du centenaire de la Révolution française, à l'occasion de laquelle la Tour Eiffel fut érigée. On donna alors une vue d'ensemble de cent ans d'art français où étaient également représentés les impressionnistes dont le style était maintenant généralement reconnu.

L'*Olympia* de Manet (1863; Paris, Musée d'Orsay) y fut également montrée. Sargent avait appris que ce tableau devait être vendu en Amérique. Pour s'y opposer, Monet décida donc de faire une collecte et d'acheter le tableau à la veuve de Manet pour en faire ensuite don au Louvre. Les amis de Manet, dont Antonin Proust et Zola, ne furent pas tous enthousiasmés par cette idée. Monet se trouva donc soumis au feu croisé d'une querelle publique qui dura presque un an et au cours de laquelle Proust provoqua Monet en un duel qui n'eut heureusement pas lieu. Il est bien compréhensible que Monet n'ait guère eu le loisir de peindre, car c'est seulement en novembre 1890 que le Louvre accepta le don et que la discussion fut close.

La pluie persistante avait également empêché Monet de travailler pendant l'été; l'humidité le fit souffir de violents rhumatismes qu'il imputa à ses sorties excessives par temps de gel, de neige et de pluie et qui le firent s'en prendre à la peinture. Il avait en outre des soucis au sujet de son fils Jean qui avait été gravement malade pendant son service militaire, de sorte qu'il était fort occupé à mettre en œuvre ses relations afin d'obtenir la démobilisation de ce dernier. Les visites de Morisot et de Mallarmé constituaient donc une agréable distraction.

A la fin de l'été, Monet se vit contraint de travailler près de Giverny. Il se rappela plus tard qu'il avait remarqué une série de meules en se promenant avec Blanche à la fin de l'été dans le clos Morin tout proche. C'est là la manière habituelle d'empiler les céréales dans cette contrée; les épis sont couverts de foin pour les protéger contre les intempéries. Monet voulut fixer cet instant ensoleillé et pria Blanche de lui apporter des toiles. «Quand je commençai, j'étais comme les autres, car je pensais que deux toiles, une pour le temps couvert et une pour le soleil, suffiraient; mais lorsque je commençai à fixer cet instant ensoleillé, les conditions d'éclairage avaient déjà changé, de sorte que deux toiles ne suffisaient pas pour rendre une impression fidèle d'un aspect spécifique de la nature et ne pas donner un tableau composé de diverses impressions», raconta Monet. Blanche dut donc apporter plusieurs toiles afin qu'il puisse fixer les différents aspects atmosphériques en confrontation directe avec la nature, la touche devant forcément être rapide et schématique. Il se consacra à ce motif depuis la fin de l'été 1890 jusqu'à l'hiver 1890/91. Lorsqu'il eut finalement tous les tableaux sous les yeux dans son atelier, il lui parut nécessaire de les retoucher, aussi bien en ce qui concerne l'élaboration détaillée qu'en ce qui concerne l'harmonisation des couleurs, si bien que chaque tableau de la série des Meules conditionne et présuppose les autres. Il fallait donc non seulement une nouvelle méthode de travail, mais aussi une nouvelle compréhension de la réalité, après quoi plusieurs aspects différents de la nature s'unissent pour donner une idée complète de cette même nature.

On voit ici un paradoxe dans le travail de Monet, car il essayait d'une part de rester fidèle à la nature et d'autre part, son imagination venait de plus en plus s'y ajouter lors des retouches dans l'atelier. Monet écrivit donc à Geffroy à propos de cette série: «Je pioche beaucoup, je m'entête à une série d'effets différents (de meules), mais à cette époque, le soleil décline si vite que je ne peux le suivre . . . Je deviens d'une lenteur à travailler qui me désespère, mais plus je vais et plus je comprends qu'il faut beaucoup travailler pour arriver à rendre ce que je cherche: ‹l'instantanéité›, surtout l'enveloppe, la même lumière répandue partout, et plus que jamais les choses faciles venues d'un jet me dégoûtent. Bref, mes efforts consistent à rendre ce que j'éprouve.»

Monet conserva en grande partie le même format dans les différents tableaux de la série des Meules. Chacun d'eux montre une ou deux

Sous le Peuplier, effet de soleil, 1887
Huile sur toile, 74 x 93 cm
W.III. 1135
Stuttgart, Staatsgalerie Stuttgart

meules vues d'un point de vue légèrement différent. Mais les variations sont principalement fondées sur les différentes conditions atmosphériques et d'éclairage qui trouvent leur équivalent dans des compositions de couleurs associatives concordantes. Il vit le motif le matin sous la neige (repr. p. 162, en haut), pendant le dégel (repr. p. 163 en bas), en fin d'été (repr. p. 160), le soir (repr. p. 161), par temps de brouillard, de gel et de pluie, et par temps ensoleillé. Dans cette série, Monet travailla souvent avec des effets de contre-jour (repr. p. 164/165) où les contours luisants des meules jetaient de longues ombres colorées (repr. p. 163 en haut).

La série des Meules et l'année 1889 marquèrent un changement caractéristique dans l'œuvre de Monet, car à partir de là, il reprit logiquement l'idée consistant à créer plusieurs tableaux sur un même motif. Signalons en passant qu'il reprit l'exemple des artistes japonais Hokusai (*Cent vues du Fuji*) et Hiroshige (*Cent vues de la capitale Edo*) qu'il admirait. Il avait vu ces travaux chez Samuel Bing en 1888, mais aussi pendant l'Exposition universelle de 1890. Hiroshige était l'artiste préféré de Monet et ses estampes décoraient la salle à manger de Giverny.

L'idée de créer plusieurs vues d'un même motif n'était pas nouvelle souvenons-nous des vues de la gare Saint-Lazare (repr. p. 94/95), mais était désormais liée à une réduction et vue rapprochée toujours plus figurative. Les représentants d'une critique d'art croyant en la science ont voulu voir dans les séries, en ce temps-là comme aujourd'hui, un procédé proche de la science. On alla même jusqu'à attribuer des concordances aux théories mathématiques sérielles de l'époque. Mais la peinture basée sur la théorie répugna toujours

Meules, fin de l'été, effet du matin, 1891
Huile sur toile, 60,5 x 100,5 cm
W.III. 1266
Paris, Musée d'Orsay

à Monet. «J'ai toujours eu les théories en horreur», disait-il. L'homogénéité des séries que Monet rappelle inlassablement dans les séries ultérieures devint évidente lors de la présentation de 15 tableaux de Meules chez Durand-Ruel en mai 1891. Cette exposition fit un effet spectaculaire. Tous les tableaux furent vendus en l'espace de quelques jours, de sorte que ses confrères, Pissarro entre autres, lui reprochèrent de peindre des séries pour des raisons commerciales et d'être l'esclave des effets pernicieux du succès. Il n'est toutefois pas possible de défendre historiquement cette opinion.

Les tableaux des Meules remportèrent par exemple un grand succès auprès des jeunes artistes indépendants comme Piet Mondrian, André Derain et Maurice Vlaminck. Wassily Kandinsky vit en 1895 l'un de ces tableaux dans une exposition à Moscou et y reconnut – en raison de la réduction figurative – le premier tableau abstrait sans sujet: «Et soudain, pour la première fois, je vis un tableau. C'est le catalogue qui m'apprit que c'était une meule. Je ne pouvais pas la reconnaître . . . je sentais confusément que le sujet manquait dans ce tableau . . . mais ce qui était absolument clair pour moi, c'était la force insoupçonnée, autrefois cachée, de la palette . . .»

Monet était désormais hautement apprécié et cela se répercuta aussi dans le fait que beaucoup d'artistes américains s'installèrent à Giverny, près du «grand maître». L'un de ces peintres fut Théodore Robinson qui eut le privilège de travailler avec Monet. En 1892, l'Américain Theodore Butler épousa directement la famille Monet-Hoschedé en se mariant avec Suzanne Hoschedé, et cette relation se maintint après la mort précoce de Suzanne, en 1899, puisqu'il épousa Marthe Hoschedé. Sargent fit lui aussi de fréquents séjours à Giverny. Les relations entre Monet et l'Amérique s'intensifièrent grâce à des expositions individuelles à New York en 1891 et à Boston en 1892; les collectionneurs privés américains arrivaient de plus en plus nombreux à Giverny.

Meules, fin de l'été, effet du soir, 1891
Huile sur toile, 60 x 100 cm
W.III. 1270
Chicago, The Art Institute of Chicago, Arthur M. Wood à la mémoire de Pauline Palmer Wood, 1985.1103

Meules
Dessin au crayon, 15 x 24 cm
Collection particulière

Les succès financiers des derniers temps permirent à Monet d'acquérir la maison et le jardin de Giverny qu'il put enfin aménager à son gré avec l'aide de six jardiniers en 1892. Sa liaison avec Alice Hoschedé, dont le mari Ernest était mort en 1891, fut régularisée par le mariage le 16 juillet 1892. Alice, une femme déterminée et forte, possédait donc sur la maison l'autorité illimitée à laquelle Monet dut se plier de temps à autre. Il quittait désormais son domicile de moins en moins, mais les invités étaient de plus en plus nombreux: des peintres amis, dont Caillebotte et Pissarro ainsi que leur famille, des écrivains, des collectionneurs, mais surtout le politique Clemenceau qui éprouvait de l'affection pour Monet et publia un livre en son honneur en 1926.

Depuis le printemps jusqu'à l'automne 1891, Monet se consacra à une série de Peupliers près de Giverny sur la rive droite de l'Epte, vers Limetz. Ces arbres furent malheureusement mis aux enchères par la commune. Monet demanda en vain au maire de repousser la vente. Sans réfléchir longtemps, il proposa un marché à l'acheteur présumé, un marchand de bois. Il s'acquitterait de la différence entre le produit de la vente aux enchères et la somme que celui-ci voulait mettre si les arbres n'étaient pas abattus avant que les tableaux soient terminés. Il parvint à son but. Depuis son bateau, il peignit ces peupliers au bord de l'Epte ou comme rangée oblique régulière vue à distance ou encore de face, tout près, comme dans *Les quatre Arbres* (repr. p. 168) où les troncs partagent la surface du tableau en bandes verticales. Elles sont juste retenues par la rive horizontale dont l'image réelle et l'image reflétée se fondent imperceptiblement l'une dans l'autre. La limite entre la réalité et le reflet parait insignifiante, de sorte que le tableau semble sans profondeur au sens traditionnel. Il devient évident que les formes géométriques abstraites – horizontales et verticales – ne sont plus pour Monet que prétexte et support pour une création partant de la couleur. La nature lui fournissait dans une grande mesure une

REPRODUCTION PAGE 162 EN HAUT:
Meule, effet de neige, le matin, 1890
Huile sur toile, 65,4 x 92,3 cm
W.III. 1280
Boston, Museum of Fine Arts, don de Mesdemoiselles Aimée et Rosamond Lamb à la mémoire de M. et Mme Horatio A. Lamb, avec l'aimable autorisation du musée

REPRODUCTION PAGE 162 EN BAS:
Meule, effet de neige, temps couvert, 1891
Huile sur toile, 66 x 93 cm
W.III. 1281
Chicago, The Art Institute of Chicago, collection M. et Mme Martin A. Ryerson, 1933.1155

Claude Monet 91

Claude Monet

REPRODUCTION PAGE 163 EN HAUT:
Meule au soleil, 1891
Huile sur toile, 60 x 100 cm
W.III. 1288
Zurich, Kunsthaus Zürich

REPRODUCTION PAGE 163 EN BAS:
Meule, Dégel, soleil couchant, 1891
Huile sur toile, 65 x 92 cm
W.III. 1284
Etats-Unis, collection particulière

Meule, soleil couchant, 1891
Huile sur toile, 73,3 x 92,6 cm
W.III. 1289
Boston, Museum of Fine Arts, collection Juliana Cheney Edwards, avec l'aimable autorisation du musée

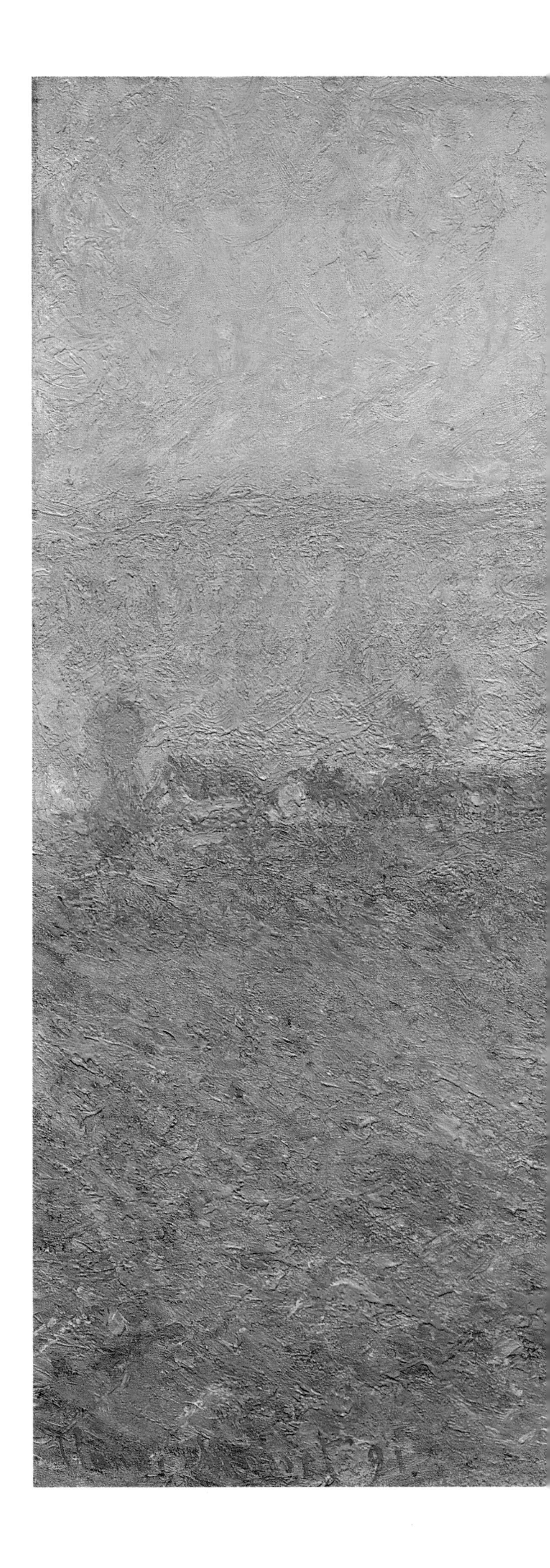

correspondance à ses propres intentions artistiques. La touche fragmentée, pointillée de couples de couleurs complémentaires, comme bleu-violet et jaune-orange, rend en outre merveilleusement la lumière atmosphérique scintillante qui se pose sur le paysage comme un manteau, s'étend partout et relie entre elles les choses de manière équivalente.

La tendance fortement décorative des tableaux, qui fait penser aux paysages de l'Art Nouveau ultérieur, trouva un accueil favorable, surtout pendant l'exposition des 15 tableaux de Peupliers chez Durand-Ruel en mars 1892. Pour voir cette exposition, Monet était venu de Rouen où il avait commencé les premières Cathédrales à partir de février 1892. A la mi-avril, il retourna à Giverny, pour se consacrer de nouveau à cette série l'année suivante, toujours de février à avril. Les tableaux sont datés de 1894 et cela indique qu'ils ont été remaniés méthodiquement par la suite. Cette troisième série représentant les façades de la cathédrale gothique de Rouen comprend 31 œuvres et apporte une confrontation absolument nouvelle avec le motif.

En février 1892, Monet avait loué une pièce en face de la cathédrale et avait réalisé à partir de là quelques vues de face (repr. p. 172/173). A partir d'un nouveau logement, le point de vue se déplaça vers la droite, pour se mouvoir de nouveau dans cette direction en 1893. Il y a en tout cinq points de vue différents, trois depuis des fenêtres situées en face de la façade et deux depuis la place de l'église. Le portail est peint ou seul (repr. p. 172 à droite) ou avec les deux tours, à gauche la tour d'Albane (repr. p. 172 à gauche), à droite la tour Saint-Romain. Le cadrage limité choisi et la vue rapprochée jusque-là inconnue avec laquelle est interprétée une façade de cathédrale gothique monumentale étaient absolument nouveaux pour les peintres contemporains; et le renoncement à la distance déterminant l'espace entre le peintre et l'objet était considéré comme étrange et révolutionnaire.

Au lieu de rendre l'image à l'aide de détails architecturaux, la lumière colorée se présente dans ces œuvres comme un important élément créateur. Monet a suivi dans les différents tableaux l'aube, le midi et l'après-midi dont la lumière couvrait la façade jusqu'au soir, qui transformait de nouveau la façade avec ses tons bleus et bruns. Comme dans les Meules, on voit ici l'influence que peut avoir le changement de conditions atmosphériques, de lumière, sur un sujet constant aux formes fixes. Cela a pour conséquence que ses formes semblent reculer ou avancer ou encore se fondre l'une avec l'autre. On a déjà vu avec les Meules (repr. p. 164-165) que cela donne des atmosphères différentes liées à des associations de couleurs. Et elles correspondent ici aussi – gaies, harmonieusement fraîches ou chaudes – à différentes sensations éprouvées par l'artiste devant le motif. Le sujet du tableau qui est donc décrit au cours d'une métamorphose se dérobe à sa destination concrète. La lumière colorée qui confère une forme adoucit aussi bien la proximité menaçante de l'architecture monumentale qu'elle la dématérialise.

Peupliers au bord de l'Epte, vue du marais, 1891
Huile sur toile, 88 x 93 cm
W.III. 1312
Etats-Unis, collection particulière

Les quatre Arbres, 1891
Huile sur toile, 81,9 × 81,6 cm
W. III 1309
New York, The Metropolitan Museum
of Art, legs de Mme H. O. Havemeyer, 1929.
Collection H. O. Havemeyer (29.100.110)

Peupliers, coucher de soleil, 1891
Huile sur toile, 102 × 62 cm
W. III 1295
Etats-Unis, collection particulière

Les Peupliers, trois arbres roses, automne, 1891
Huile sur toile, 93 × 74,1 cm
W.III. 1307
Philadelphia, Philadelphia Museum of Art, don de Chester Dale

Ceci est absolument lié à la conception symboliste de Mallarmé pour lequel les choses de la réalité ne se nomment pas définitivement, mais se laissent seulement décrire approximativement. Monet a formulé sa compréhension métaphysique fondamentale de la nature à l'intention de Clemenceau: «Pendant que vous autres examinez le monde en tant que tel, mes efforts visent simplement un maximum de ses manifestations dans ses relations avec des réalités inconnues. Quand on est en harmonie avec les manifestations, on ne peut plus être très loin de la réalité ou du moins très loin de ce que nous voulons y reconnaître. Je me suis toujours contenté d'observer ce que m'a montré le monde pour en témoigner avec ma peinture . . . Votre erreur est que vous voulez réduire le monde à votre dimension, bien que votre connaissance de vous-mêmes dût aussi augmenter avec une connaissance croissante des choses.» Ceci ne correspondait

Les trois Arbres, été, 1891
Huile sur toile, 92 x 73 cm
W.III. 1305
Tokyo, The National Museum
of Western Art, collection Matsukata

absolument plus à un procédé proche de la science reconnaissant jusqu'à ce jour dans les séries de Monet une critique d'art orientée vers le positivisme et citant comparativement les théories contemporaines de la biologie, des mathématiques et de la physique.

Dans l'esprit de la conception symboliste, la peinture de la maturité de Monet n'est plus le reflet de la vie, mais ouvre des domaines visionnaires au-delà des limites de la réalité. La demande d'idée intégrale de la nature et de la réalité de Monet doit être comprise en fonction de cela. Monet a pour ainsi dire reconnu la nature en l'observant intensément et en étant très proche d'elle, de sorte qu'elle put devenir pour lui toujours plus insignifiante comme motif concret et fixe. La manière dont il avait fait l'expérience de la nature dans des analogies et correspondances avec son propre état d'esprit était devenue évidente de bonne heure, dans les tableaux de la

La Cathédrale de Rouen, le portail et la tour d'Albane à l'aube, 1894
Huile sur toile, 106,1 x 73,9 cm
W.III. 1348
Boston, Museum of Fine Arts, collection Tompkins, acquis avec des fonds de la Fondation Arthur Gorden Tompkins, 1924, avec l'aimable autorisation du musée

La Cathédrale de Rouen, le portail, soleil matinal; harmonie bleue, 1894
Huile sur toile, 91 x 63 cm
W.III. 1355
Paris, Musée d'Orsay

La Cathédrale de Rouen, le portail et la tour d'Albane, effet du matin; harmonie blanche, 1894
Huile sur toile, 106 x 73 cm
W.III. 1346
Paris, Musée d'Orsay

«débâcle» par exemple. L'éloignement croissant de la représentation naturaliste que l'on peut observer dans les œuvres tardives de Monet et qui lui fut reproché par la critique, par rapport aux œuvres des débuts, était une évolution logique. Il avait, comme nous l'avons montré, commencé à créer des motifs dramatiques sur une grande échelle à partir de 1880.

Avec sa série de façades où les effets éphémères sont seulement reliés à une forme fixe par une structure architectonique, Monet devint aussi un précurseur du cubisme. Pensons aux œuvres peintes par Georges Braque et par Picasso vers 1910, où des modèles architectoniques sont également devenus des compositions autonomes. En considérant les séries des Cathédrales et des Meules de Monet, Roy Lichtenstein a rendu hommage en 1969, dans ses séries de lithographies des *Meules* et des *Cathédrales*, à Monet en tant que l'artiste qui a saisi logiquement pour la première fois le principe de la série significatif pour l'art du XXe siècle, renonçant ainsi à l'idée du chef-d'œuvre unique en réalisant une série à suivre de tableaux de même valeur. L'importance capitale de Monet pour la peinture moderne est déjà nette ici; elle n'a néanmoins atteint son point culminant que dans ses Nymphéas ultérieurs.

Monet conserva longtemps les tableaux des Cathédrales à Giverny et ne les présenta à Durand-Ruel et à Bernheim qu'après bien des hésitations. Monet avait l'intention de faire augmenter l'intérêt et la discussion à leur sujet. Après avoir éprouvé des doutes au début, il était absolument conscient de la valeur et de la qualité de ses œuvres, de sorte qu'il fit monter les prix à 12 000, puis à 15 000 francs par tableau. L'exposition de 20 vues de Rouen chez Durand-Ruel, en mai 1895, fut un plein succès et confirma une fois de plus la percée de Monet.

REPRODUCTION PAGE 174:
La Cathédrale de Rouen, le portail et la tour d'Albane, 1894
(comme ci-dessus)

Pendant qu'il remaniait les vues des Cathédrales, les prairies des bords de la Seine tout autour de Giverny lui apportèrent de la distraction pendant l'été 1894. Blanche Hoschedé lui était devenue de plus en plus indispensable. Elle portait le matériel de Monet qui souffrait de rhumatismes aigus. Il fut diverti par Cézanne pendant le séjour que ce dernier effectua à l'automne 1894 à Giverny où il avait loué une chambre dans une auberge pour peindre dans les environs. Cézanne était souvent invité chez Monet où il fit la connaissance de Geffroy qu'il portraitura par la suite, au cours d'un célèbre dîner où étaient présents, entre autres, Rodin et Clemenceau. Monet était le seul peintre impressionniste qu'il admettait et auquel il reconnaissait une place au Louvre. Cette estime était absolument réciproque, puisque Monet possédait douze tableaux de Cézanne.

Comme les précédents, l'hiver 1894/95 fut très doux, de sorte que Monet n'avait jusque-là guère eu l'occasion de peindre des paysages de neige à Giverny. C'est peut-être la raison pour laquelle il décida d'effectuer un voyage en Norvège en compagnie de Jacques Hoschedé au printemps 1895. Après une phase de profonde dépression qui l'aurait presque incité à retourner à Giverny, il s'installa à Björnegaard, près de Sandviken, chez Karoline Reimers, la femme du poète norvégien Björnstjerne Björnson. D'autres artistes comme l'écrivain danois Herman Bang avaient déjà logé chez ce dernier. C'est là que furent créées des vues des fjords et des maisons de Sandviken et de Björnegaard où il s'intéressa particulièrement aux effets de couleur de la lumière sur des surfaces couvertes de neige. Il se tourna fréquemment vers le Mont Kolsaas (repr. p. 177), au nord de Björnegaard qui était visible de partout et lui rappelait le Fuji-Yama.

Dans ces tableaux, les tons sont vivement contrastés, la facture de Monet est très floue et se rapproche parfois des ébauches où l'on

La Cathédrale de Rouen, le portail et la tour d'Albane; plein soleil; harmonie bleu et or, 1894
Huile sur toile, 107 x 73 cm
W.III. 1360
Paris, Musée d'Orsay

La Cathédrale de Rouen, le portail, temps gris, 1894
Huile sur toile, 100 x 65 cm
W.III. 1321
Paris, Musée d'Orsay

La Cathédrale de Rouen, le portail vu de face; harmonie brune, 1894
Huile sur toile, 107 x 73 cm
W.III. 1319
Paris, Musée d'Orsay

REPRODUCTION PAGE 175:
La Cathédrale de Rouen, le portail et la tour d'Albane, plein soleil; harmonie bleu et or, 1894 (comme ci-dessus)

Claude Monet 94

laisse certaines parties du papier en blanc pour figurer le ciel et la neige. On put lire ce que l'artiste pensait de cette série de montagnes en avril dans le «Dagbladet»: «Le motif n'est plus essentiel pour moi. Ce que je veux rendre est ce qui se joue entre moi et le motif.» On voit ici, comme dans les séries précédentes, la tendance de Monet à faire une peinture qui ne montre plus la réalité au sens naturaliste, mais prend de plus en plus pour thème des sensations subjectives devant le motif et des souvenirs.

Il faut également placer dans ce contexte à partir de 1896 le pélerinage aux endroits qu'il avait peints des années auparavant. Pris d'une sorte de nostalgie, il lui importait désormais de s'approcher des sensations de l'époque et de les vérifier. Par suite de cette nostalgie, il se rendit à Pourville, à Dieppe et à Varengeville en février 1896 et au cours des années suivantes. A la différence de 1882, il créa alors, comme dans les *Maisons de douaniers*, *Les Falaises de Dieppe* et la *Mer agitée à Pourville* (repr. p. 185), plusieurs vues du même motif dans diverses conditions selon le principe de la série. Comme s'il avait voulu s'assurer des traits caractéristiques du paysage, car tandis que les formes fournies par la nature demeuraient les mêmes dans les différents tableaux, leur apparence se modifiait selon l'heure, le changement de lumière, les particularités atmosphériques. De même que, dans le souvenir, des choses séparées dans le temps s'assemblent pour former une nouvelle unité, Monet pensait chaque série avec ses tableaux individuels comme un ensemble. Pour lui, c'est seulement ainsi qu'elle procure une idée plus vaste du paysage concerné.

On a comparé avec raison le procédé employé par Monet dans les séries au cycle «A la recherche du temps perdu» de Proust. Ici aussi, le thème proprement dit n'est pas un évènement linéaire, mais la simultanéité multiple de niveaux chronologiques. Tout comme Proust, Monet prend pour thème le changement de la perception dans le temps. Elle peut conjurer pour le peintre l'état caractéristique du tronçon de nature considéré. A la différence des tableaux des débuts peints en ces lieux, l'intérêt ne réside plus pour Monet dans l'observation topographique et la structure des choses, mais dans la surface qui relie les sujets entre eux. Conformément à cela, le maniement des moyens picturaux change également. Désormais, il travaille davantage avec des harmonies de couleurs. Les contrastes vifs qui pourraient faire un effet sélectif sont évités dans une large mesure. Ce genre de séries de couleurs uniformisantes, homogénéisantes, caractérise également les paysages de Vétheuil réalisés en 1901. Ici aussi, il s'agit d'une reprise des motifs des années précédentes, mais ceux-ci, comme la *Vue de Vétheuil* (repr. p. 179), sont bien plus charmants de par leurs harmonies bleues et roses. L'affadissement des couleurs qui y est lié correspondait absolument au goût de l'époque, et c'est ainsi que les prix des nouveaux tableaux de Monet montèrent rapidement. Malgré la critique impitoyable que Zola fit en 1896 de la peinture impressionniste, la peinture de Monet trouva de plus en plus d'amateurs. A l'échelle internationale,

Le Mont Kolsaas, reflets roses, 1895
Huile sur toile, 65 x 100 cm
W.III. 1415
Paris, Musée d'Orsay

il reçut l'année suivante des invitations à des expositions à Berlin, Bruxelles, Stockholm et Venise.

Zola monta quelque temps dans l'estime de Monet lorsqu'il s'engagea publiquement en faveur de l'officier français juif Alfred Dreyfus en 1897 et 1898. Comme Monet, Zola était convaincu que Dreyfus avait été accusé à tort de haute trahison en 1894, pas en dernier lieu pour des raisons antisémites. Malgré de vives discussions, Dreyfus ne fut réhabilité qu'en 1906.

L'année 1897 apporta également des changements dans la famille. Jean, le fils de Monet, avait décidé d'épouser sa Blanche Hoschedé, et Monet eut du mal à se familiariser avec cette idée, mais ici aussi, Alice eut le dernier mot. Le jeune couple alla s'installer à Rouen où Jean travaillait avec son oncle Léon. En 1897, Monet alla occuper son second atelier qui avait été érigé dans un bâtiment séparé dans le jardin. Il put y retoucher les tableaux commencés au printemps et en été. En faisaient également partie les atmosphères matinales sur un bras de la Seine, près de Giverny, commencées pendant l'été 1896 et vers lesquelles il se tourna à nouveau en 1897.

Malgré son âge avancé (il avait presque 60 ans), il avait conservé un rythme quotidien strict prévoyant un lever bien avant l'aurore pendant les mois d'été. C'est seulement ainsi qu'il put fixer dans une nouvelle série l'aurore où le ciel se colorait et où la brume s'étendait encore sur le fleuve. Dans les *paysages matinaux*, une seule nuance atmosphérique est déterminante à chaque fois, comme dans le *Bras de Seine près de Giverny* (repr. p. 181). Ici aussi, la couleur rompue que l'on pouvait observer dans les tableaux impressionnistes des débuts fait place à une touche homogène reliant entre elles et faisant apparaître simultanément toutes les parties de l'œuvre. Monet aurait dit à Lila Cabot: «Quand vous sortez (pour peindre), songez que chaque feuille d'arbre est aussi importante que les traits de votre modèle.» Monet se rattache ici aux idées romantiques d'harmonie universelle où le monde est compris comme un tout devenu organique, dynamique et organiquement construit, et où les expériences du paysage peuvent donc devenir une expérience du Moi. Le calme et l'immobilité des tableaux sont renforcés par le format en grande partie carré de la série. L'eau, la lumière et les reflets deviennent ici le thème déterminant comme dans l'œuvre tardive avec les Nymphéas. Le reflet et le réel, la réalité et l'illusion se mêlent, s'approchent l'une de l'autre et semblent interchangeables. Ceci apporta finalement une solution au paradoxe que l'on pouvait observer dans l'œuvre de Monet, car la défense du rapport à la nature et les éléments de la fantaisie toujours plus actifs furent conçus en conséquence. Des atmosphères brumeuses comme dans les *Paysages matinaux* et la concentration sur des effets presque insaisissables de l'atmosphère devaient jouer un rôle capital dans de nombreuses séries des années 90. 17 de ces œuvres furent montrées en juin 1898 chez Petit lors d'une grande exposition consacrée à Monet et remportèrent un vif succès.

Cette année-là, Monet perdit un ami fidèle en la personne de Mallarmé. Mais l'année suivante amena également le deuil et le chagrin, car, peu après la mort de son ami le peintre Sisley, Suzanne Hoschedé-Butler décéda en février 1899. Depuis 1894, c'est-à-dire depuis la naissance de son deuxième enfant Lily, elle avait souffert de signes avant-coureurs de la paralysie. Pour que leurs enfants Jim et Lily soient bien soignés, James Butler épousa le même mois Marthe, la sœur ainee de Suzanne. Ce malheur fit sombrer Alice dans une profonde mélancolie dont elle ne se remit jamais. Les voyages qu'elle effectua en compagnie de Monet à Venise, à Madrid et à Londres à l'automne 1899 ne parvinrent pas à l'arracher à son indifférence.

Monet connaissait Londres par suite de séjours antérieurs, participations à des expositions et contacts avec des artistes locaux. La ville lui plaisait surtout en automne et en hiver à cause des brumes. «J'aime Londres seulement en hiver. Sans brume, Londres n'aurait aucun charme. La brume lui donne son merveilleux ‹lointain›. Ses blocs massifs et réguliers reçoivent dans cette mystérieuse enveloppe une tranquille grandeur», expliqua-t-il à René Gimpel. Au cours des voyages qu'il effectua pendant l'automne et l'hiver 1899/1900, Monet réalisa des vues du pont de Charing-Cross qui restèrent toutefois inachevées, de sorte qu'il les reprit lors de séjours ultérieurs pendant les hivers 1901 et 1904. Mais là aussi, il dut réaliser ses tableaux de Londres de mémoire dans l'atelier de Giverny. Ceci lui donna apparemment beaucoup de mal et le désespéra quelquefois. En 1903, il écrivit à Durand-Ruel qui attendait depuis longtemps l'envoi de ces tableaux: «Je ne peux pas vous envoyer une seule toile de Londres parce qu'il est indispensable que je les aie toutes devant moi . . . Je les développe toutes ensemble.»

La série londonienne ainsi élaborée se compose de trois groupes de tableaux, *Le Pont de Charing-Cross, Le Pont de Waterloo* (repr. p. 183) et *Le Parlement de Londres* (repr. p. 182). Alors que les

Vue de Vétheuil, 1901–02
Huile sur toile, 90 x 9[illegible] cm
W.IV 164[illegible]
Tokyo, The National Museum of Western Art, collection Matsukata

anciens tableaux de brouillard, exception faite des brumes matinales, avaient généralement été des tableaux individuels rapidement peints, il trouva dans les années 90, grâce à la série, une solution pour créer quelque chose de durable à partir de ces phénomènes éphémères et fugitifs. Les effets passagers l'intéressaient moins; il se concentrait sur un aspect et visait des qualités plus solides de ses tableaux. Il poursuivait ce but, comme dans les années 80, en remaniant les toiles dans son atelier et en soulignant leur échelle de couleurs harmonisée. Il commença donc dans une large mesure tous les tableaux devant le sujet en plein air, mais traita les phénomènes fugitifs de sorte qu'ils ne pouvaient guère être terminés sur place. Une fois dans l'atelier, il les enrichissait souvent en comparant et en consultant d'autres œuvres de la même série, si bien qu'ils étaient loin de rendre des expériences directes devant le sujet. Ils suggèrent plus, par la subtilité de leurs harmonies de couleurs d'après lesquelles ils sont parfois nommés, les propriétés changeantes de la lumière solaire dans le brouillard. Il n'est pas étonnant que Monet se soit particulièrement enthousiasmé pour Turner à l'époque, bien qu'il le contestât devant Gimpel en 1918: «Autrefois, j'ai beaucoup admiré Turner, aujourd'hui je l'aime moins . . . Il n'a pas donné suffisamment de forme à la couleur et en a trop employé; j'ai étudié cela de près.» Les tableaux londoniens n'ont plus la coloration fraîche qui avait fait la renommée des travaux impressionnistes des années

70, mais évoquent les sujets et ont de ce fait beaucoup à voir avec le symbolisme du poète Mallarmé.

Lorsque ces nouvelles créations furent présentées chez Durand-Ruel au printemps 1904, le public était partagé en deux camps. Tandis que l'un y voyait l'apogée logique de l'impressionnisme, la jeune génération y voyait la preuve que le mouvement était déjà dépassé. On se plaignait surtout de la perte de la forme, car la nouvelle génération de peintres, en particulier les futurs cubistes, s'efforçait d'en revenir aux formes géométriques, en quoi ils suivirent l'exemple de Cézanne: «Mais dans la fuite de toutes les choses, dans ces tableaux de Monet, il faut maintenant apporter une fermeté, une structure . . .». On reprochait en outre à Monet de s'être servi d'une photographie pour les vues du Parlement de Londres. Monet avait effectivement reçu une photographie de Sargent et l'avait utilisée comme aide-mémoire. Ceci provoqua un tel tourbillon que Monet se vit obligé de s'expliquer vis-à-vis de Durand-Ruel: «Mais le fait que mes Cathédrales, mes tableaux londoniens et d'autres aient été réalisés d'après nature ou pas est dérisoire, cela ne regarde personne et n'a aucune importance. Je connais beaucoup de peintres qui peignent des choses horribles d'après nature . . . C'est le résultat qui compte.»

La confrontation avec l'architecture, l'eau et la lumière, qui était décisive dans cette série, devait se poursuivre en 1908 et en 1909 à Venise car, là aussi, la création d'une forme architecturale en pierre fut victime de la lumière. Entre 1904 et 1908, Monet s'était de plus en plus consacré à son jardin d'eau à Giverny, et seul un court voyage à Madrid entrepris à l'automne 1904 en compagnie d'Alice avait apporté du changement. Monet et les peintres impressionnistes s'intéressaient moins à l'Italie que les peintres académiques du XIXe siècle pour lesquels ce pays, et Rome en particulier, avait été un grand centre d'attraction. Venise avait toutefois déjà beaucoup d'attrait pour les romantiques, surtout les auteurs romantiques comme Théophile Gautier et Honoré de Balzac que Monet estimait plus que tout. Cette ville avait donc de l'importance pour les impressionnistes, non seulement à cause de ses rapports avec une tradition romantique, mais aussi à cause de la peinture locale, où Titien, Giorgione et Paolo Véronèse avaient joué un rôle essentiel. Comme autrefois, Monet et Alice se rendirent aussi à Venise dans leur automobile personnelle conduite par leur chauffeur. Ils séjournèrent d'abord au Palazzo Barbaro comme invités d'un ami de Sargent, puis, jusqu'en décembre 1908, à l'Hôtel Britannia. Après que Monet fut revenu une autre fois à Venise en 1909, sa maladie de la cataracte toujours plus grave et la mort de sa femme Alice en 1911 rendirent impossible tout autre voyage à Venise. La réalisation des tableaux se fit donc également de mémoire dans l'atelier de Giverny. On distingue divers groupes de tableaux selon le point de vue choisi: vues du canal Grande, du rio de la Salute, de l'église San Giorgio Maggiore (repr. p. 186) et de divers palais, dont *Le Palais Contarini* (repr. p. 187).

Matinée sur la Seine, 1897
Huile sur toile, 81 x 92 cm
W.III. 1477
Amherst, Mead Art Museum, Amherst College, legs de Mademoiselle Susan Dwight Bliss

Bras de Seine près de Giverny, 1897
Huile sur toile, 75 x 92,5 cm
W.III. 1487
Paris, Musée d'Orsay

Le Parlement, trouée de soleil dans le brouillard, 1899–1901
Huile sur toile, 81 x 92 cm
W.IV. 1610
Paris, Musée d'Orsay

REPRODUCTION EN HAUT A DROITE:
Waterloo Bridge, effet de brouillard, 1899-1901
Huile sur toile, 65 x 100 cm
W. IV. 1580
Leningrad, Ermitage

REPRODUCTION EN BAS A DROITE:
Waterloo Bridge, vers 1900
Pastel, 30 x 47 cm
Paris, Musée Marmottan

Claude Monet 1903

Les palais vénitiens sont les derniers motifs architectoniques de Monet. Mais ici aussi, les formes architectoniques sont devenues des phénomènes de la nature, et ce fut avant tout l'aspect féerique de l'atmosphère vénitienne qui enthousiasma Monet, comme Turner avant lui. Quand on regarde ces œuvres, les descriptions que Proust fit de Venise dans «A la recherche du temps perdu» sont ranimées, Venise où «les palais alignés . . . reflétaient sur leurs façades roses la lumière et l'heure et se transformaient de ce fait moins que ne le font d'ordinaire les demeures privées ou les monuments célèbres, (mais) . . . des vues de la nature, d'une nature à dire vrai qui aurait engendré ses œuvres avec les moyens de la puissance d'imagination humaine». Bien que Monet eût des doutes quant à la qualité des œuvres, puisque pour rendre ce qu'il ressentait, il avait souvent oublié les règles les plus élémentaires de la peinture – si tant est que celles-ci existassent –, la réaction fut enthousiaste. Le néo-impressionniste Signac, qui avait vu l'exposition des 29 vues de Venise chez Bernheim-Jeune au début de l'été 1912, lui écrivit avec ardeur: «Et ces vues de Venise sont encore plus fortes là où tout est en harmonie avec l'expression de votre volonté, là où aucun détail ne porte atteinte au sentiment, là où vous êtes parvenu au renoncement que Delacroix nous recommande toujours. Je les considère comme la plus haute manifestation de votre art.» Cet éloge était également dédié à Monet en tant que l'un des derniers représentants vivants de l'ancien mouvement impressionniste, car Pissarro était mort en 1903 et Cézanne en 1906. Parmi les anciens camarades de Monet, il ne restait plus que Renoir.

Après le décès de sa femme Alice en mai 1911, Monet avait de plus en plus sombré dans la mélancolie qui s'aggrava encore par suite de la mort de son fils Jean, qui était gravement malade, en février 1914. A partir de ce moment, Blanche retourna à Giverny pour veiller sur Monet. L'état de santé de Monet empira rapidement au cours des années suivantes. Sa maladie des yeux qui avait débuté en 1867 s'aggrava. En outre, il était de plus en plus souvent pris de vertiges et souffrait d'asthme. Il ne quitta plus Giverny que rarement et ne prit plus part – comme il le faisait régulièrement auparavant – aux dîners mensuels au café Riche, à Paris, où se rencontraient les peintres, critiques et écrivains impressionnistes comme Mallarmé et Huysmans maintenant décédés. Pour se divertir, Monet recevait désormais de plus en plus fréquemment des invités à Giverny. On y rencontrait plus ou moins régulièrement Rodin, Sargent, le poète Paul Valéry, les marchands d'art Durand-Ruel et Bernheim, Sacha Guitry et sa femme, la comédienne Charlotte Lysès, de nombreux amis japonais comme la famille Kurokis, et surtout Clemenceau.

Monet était un véritable gourmand et les repas étaient, à côté du jardinage, l'un de ses thèmes favoris. A la différence des salons sombres et trop chargés du tournant de siècle, Monet s'était installé dans un style simple et champêtre. Tout était clair et dans des tons assortis. Cet esthétisme allait si loin qu'il conçut une vaisselle bleue et jaune assortie au jaune des murs de la salle à manger auxquels

Mer agitée à Pourville, 1897
Huile sur toile, 73 x 100 cm
W.III. 1444
Tokyo, The National Museum of Western Art, collection Matsukata

étaient accrochées ses estampes japonaises. L'installation de Giverny était donc bourgeoise, car, outre six jardiniers, Monet occupait également un chauffeur, une cuisinière, une laveuse et des bonnes. Comme le prouvent sa motorisation et l'installation d'une chambre noire pour faire de la photographie, Monet s'intéressait aux nouveautés techniques, malgré sa retraite dans son refuge de Giverny et ce, bien qu'à son avis, l'américanisation croissante fut un appauvrissement.

Monet ne s'intéressait guère aux courants artistiques contemporains modernes. Le mouvement cubiste lui était étranger, et seule la facture décorative et subtilement coloriste de Vuillard et de Bonnard, de même que leur thématique intime, trouvèrent son accord sans réserve. Ceci s'explique aussi par la tendance décorative illusionniste plus forte à laquelle il se consacra avec son projet de Nymphéas. C'est là le thème principal de ses trente dernières années créatives et un dernier point culminant de son œuvre qui a toutefois contribué à fonder sa célébrité jusqu'à nos jours.

Crépuscule à Venise, 1908
Huile sur toile, 73 x 92 cm
W.IV. 1769
Tokyo, Bridgestone Museum of Art,
fondation Ishibashi

Le Palais Contarini, 1908
Huile sur toile, 92 x 81 cm
W.IV. 1767
Saint-Gall, Kunstmuseum,
fondation Ernst Schürpf

Les Nymphéas de Monet et la «Chapelle Sixtine de l'Impressionnisme»

Maurice Guillemot avait contemplé 14 vues du jardin d'eau de Giverny dans l'atelier de Monet en août 1897. Monet lui expliqua qu'il avait l'intention de créer un vaste ensemble décoratif avec des tableaux de ce genre. Dès lors, le motif du jardin des nymphéas et de ses environs l'occupa jusqu'à la fin de ses jours.

Au cours des dernières années, Monet avait investi beaucoup de temps pour arranger la maison et le jardin de Giverny. Il était secondé par un chef jardinier et ses cinq aides. En février 1893, Monet avait ajouté à la maison et au jardin acquis trois ans plus tôt le terrain qui était situé de l'autre côté de la ligne de chemin de fer passant devant sa propriété. Cette prairie et le petit étang qui s'y trouvait et au travers duquel coulait le Ru, subit peu à peu de grandes transformations dans le domaine horticole, transformations qui eurent également des répercussions dans les représentations du jardin d'eau.

Le Bassin aux Nymphéas, septembre 1900
Photographie de Joseph Durand-Ruel

Entre 1893 et 1901, l'étang dut être chauffé afin Bassin qu'on puisse y planter les nénuphars exotiques que Monet avait fait venir du Japon, car ces plantes délicates avaient besoin de températures plus élevées. Il fit installer des vannes à l'est et à l'ouest de l'étang. Ceci donna lieu à de vives protestations de la part des habitants de Giverny qui lavaient leur linge dans l'eau du Ru. Ils craignaient en effet que les plantes exotiques n'empoisonnent l'eau ou du moins la salissent fortement. Un petit pont de bois de style japonais avec une arche fut érigé à l'endroit le plus étroit de l'étang. De cette façon, et à cause des plantes japonaises, le jardin de Monet fut appelé par la suite «jardin japonais», bien que les éléments essentiels qui constituent un jardin japonais traditionnel, comme la rocaille par exemple, en fussent absents.

Monet reprit pour la première fois le motif du pont japonais au cours de l'hiver 1895. Mais la première série continue sur ce sujet fut réalisée en 1899. Elle fut exposée chez Durand-Ruel pendant l'hiver 1900. *Le Bassin aux Nymphéas* (repr. p. 188, 191), au premier plan duquel apparaît celui-ci, en faisait partie. Le bassin est enjambé par un pont d'où on voit la rive avoisinante dont la luxurieuse végétation semble impénétrable et se reflète sur le plan d'eau. La zone du ciel est consciemment limitée, et la vue se concentre sur

Le Bassin aux Nymphéas, 1899
Huile sur toile, 92,7 x 73,7 cm
W.IV. 1518
New York, The Metropolitan Museum of Art, legs de Mme H.O. Havemeyer, 1929. Collection H.O. Havemeyer (29.100113)

Le Bassin aux Nymphéas, 1900
Huile sur toile, 89,2 x 92,8 cm
W.IV. 1630
Boston, Museum of Fine Arts, don de la fondation Fuller à la mémoire du Governor Alvan T. Fuller, 1961, avec l'aimable autorisation du musée

la flore et la surface de l'eau, si bien que ces tableaux sont les précurseurs logiques des Nymphéas tardifs où seule la surface de l'eau couverte de nymphéas est rendue dans une vue très rapprochée.

Diverses sensations chromatiques sont également prises pour thème dans les vues de pont en souvenir d'expériences directes de la nature. La réalisation était ensuite faite dans l'atelier. Le jardin fut encore agrandi en 1901 et, après de longues négociations, le Ru fut détourné avec l'autorisation de la commune de Giverny. Le pont japonais reçut une voûte en bois supplémentaire qui fut ensuite plantée de glycines aux riches grappes. Sous cette forme, il servit de modèle aux représentations de ponts extraordinairement expressives et abstraites des années 1923 et 1925 (repr. p. 216/217) qui semblent déjà annoncer l'expressionnisme abstrait des années 50.

Le jardin arrangé avec le plus grand soin selon ses propres idées, où les couleurs et les formes des plantes étaient harmonisées, devint le chef-d'œuvre de Monet. Un jardinier était occupé à maintenir les nymphéas dans la disposition souhaitée par Monet. Ce cadre artistiquement arrangé et achevé devint avec les nymphéas, le pont, la rive avec ses saules pleureurs, les iris, les agapanthus et l'arceau de roses la principale source d'inspiration de Monet. «Ces paysages à reflets sont devenus pour moi une nécessité. Cela dépasse mes forces qui sont celles d'un vieil homme. Et malgré tout, je veux

Le Bassin aux Nymphéas, harmonie verte, 1899
Huile sur toile, 89 x 93 cm
W.IV. 1515
Paris, Musée d'Orsay

parvenir à rendre ce que je ressens . . . et j'espère que quelque chose résultera de ces efforts», déclara-t-il à Geffroy en 1908 au sujet des Nymphéas auxquels il s'était tout particulièrement consacré.

Les premiers tableaux de Nymphéas d'où disparaît la rive jusque-là comprise dans les travaux (repr. p. 195), ont été exécutés vers 1897 et, dans une plus large mesure, entre 1904 et 1908.

La vue ne montre plus que la surface de l'eau qui recouvre tout le tableau. Ces représentations inhabituelles de son jardin d'eau furent exposées chez Durand-Ruel du 6 mai au 5 juin 1909 comme série composée de 48 œuvres que l'on peut aussi diviser, selon le point de vue choisi, en six différents types de composition. Monet était conscient de l'originalité de ses toiles et avait donc fixé des prix élevés. Le fait que dans ces œuvres le plan d'eau occupe tout le tableau avec les formes des nymphéas et les reflets des arbres, des nuages et du ciel, a toutefois également fait naître un sentiment de désorientation.

Avec ces tableaux, Monet rompit les derniers liens qui le rattachaient à l'Ecole de Barbizon, car il créa pour la première fois, à la différence des paysages traditionnels, des paysages sans horizon. Grâce aux reflets, il lui fut possible de rompre le lien avec l'horizon qui divise l'espace. Monet s'est servi d'une couche de peinture gestuelle et très abstraite. Les formes figuratives de la nature, les

Iris, 1914–17
Huile sur toile, 199,4 x 150,5 cm
W.IV. 1832
Richmond, Virginia Museum of Fine Art,
acquisition du fonds William, 1971

Le Jardin de Monet, les Iris, 1900
Huile sur toile, 81 x 92 cm
W.IV. 1624
Paris, Musée d'Orsay

feuilles et les fleurs de nymphéas, l'herbe ondulant sous l'eau et les reflets des saules pleureurs et des herbes sur l'eau sont tellement imbriqués les uns dans les autres que l'observateur ne peut plus dire avec certitude s'il a devant lui la nature reflétée ou la nature réelle. On ne sait donc pas bien si les zones plus sombres sont des reflets du paysage alentour ou si elles rendent l'herbe ondulant sous la surface de l'eau. Dans ces paysages de reflets, il n'y a plus d'orientation au sens classique, avec laquelle on fait l'expérience du haut et du bas, du devant et du derrière, de la figure et du fond. Les formes des nymphéas semblent planer dans un espace sans limites. En fonction de cela, Monet avait prévu à l'origine que ces tableaux ne devaient pas être encadrés, comme si ces vues partielles de la nature pouvaient se poursuivre au-delà du bord du tableau et exigeaient d'être complétées par les autres tableaux de la série. Seule la coloration rappelle encore un exemple de nature où le vert représente la végétation, le bleu l'eau et le ciel.

On a rappelé à juste titre dans la tendance cachée à faire fusionner les choses de la nature le désir romantique d'unité harmonieuse de la nature. Monet connaissait bien les pensées romantiques grâce au symbolisme français, et le critique Roger Marx rapporte ces mots de Monet «. . . mon seul mérite est que je me soumets à l'instinct; grâce à ces forces retrouvées et surtout intuitives et secrètes, je suis parvenu à m'identifier à la création et à me fondre avec elle . . . (et ainsi) je suis parvenu au dernier degré de l'abstraction et de l'imagination liée à la réalité.» L'importance de cette critique sensible exprimée à l'occasion de l'exposition de 1909 tient en outre à l'indication détaillée au sujet de la décoration de nymphéas que projetait Monet.

Dès 1897, Monet projeta de couvrir une pièce arrondie, une salle à manger, avec une série de nymphéas. La réussite financière des séries et leur bienveillante acceptation par la presse et le public n'étaient pas les seules responsables de cette idée. Monet et d'autres avaient souvent regretté la dispersion des séries qui étaient prévues comme une unité, et ceci avait certainement influé sur sa décision. La décoration d'intérieurs avec des tableaux de grand format ayant un thème floral n'était pas étrangère à Monet; il suffit de rappeler les commandes d'Hoschedé en 1876 (repr. p. 91) et de Durand-Ruel en 1882–85. Vers le tournant du siècle, l'intérêt général pour les décorations intérieures peintes était grand; songeons à l'enthousiasme manifesté à l'égard du japonisme qui déborda jusque dans les pièces d'habitation. Ces décorations devaient permettre de relier entre eux les domaines de la vie et de l'art; la revalorisation de l'artisanat d'art caractérisant l'Art Nouveau et le Jugendstil fut un symptôme logique. Bonnard et Vuillard, qui étaient tous deux issus du groupe symboliste des «Nabis», se sont approprié ce but dans de nombreuses commandes.

Nymphéas, 1904
Huile sur toile, 90 x 93 cm
W.IV. 1664
Le Havre, Musée des Beaux-Arts

Comme ces peintures étaient créées pour des situations spécifiques, elles avaient forcément laissé derrière elles le cadre et le classique tableau, de même que la demande de reproduction natu-

Nymphéas, 1914
Huile sur toile, 200 x 200 cm
W.IV. 1800
Tokyo, The National Museum of Western Art,
collection Matsukata

Coin de l'étang à Giverny, 1918–19
Huile sur toile, 117 x 83 cm
W.IV. 1878
Grenoble, Musée des Beaux-Arts

Les Arceaux fleuris, Giverny, 1913
Huile sur toile, 81 x 92 cm
W.IV. 1779
Phoenix, Phoenix Art Museum, don de M. et Mme Donald D. Harrington

raliste. Là aussi, elles ont un rapport étroit avec les œuvres tardives de Monet. L'affinité avec la conception symboliste était devenue évidente à plusieurs reprises pendant la maturité de Monet. Conformément à cela, l'art ne devait plus être la reproduction de la réalité. Les choses de l'expérience quotidienne étaient tellement déformées par l'habitude et fragmentées qu'elles ne pouvaient plus renvoyer d'elles-mêmes à un «archétype», à la vraie nature. L'art devait au contraire se libérer de connaissances préorientées et de notions abstraites fixes. Cela semblait possible en recherchant l'analogie entre le Moi et le monde, l'ambiguïté, la confusion et le caractère officiel étant les facteurs créateurs déterminants de la manière de procéder de l'artiste. Cela caractérisait en même temps la réaction consciente à la prédominance croissante des sciences qui voulaient imposer leurs lois à l'art. Ce but artistique et l'exigence de vérité qui y était liée firent de l'artiste moderne dans l'esprit du romantisme le créateur de mondes d'une nouvelle réalité. Ainsi, Monet chercha à transmettre dans ses paysages de reflets tardifs la relation de tous les phénomènes résultant de ses seules expériences visuelles. Car pour Monet, c'est seulement en voyant que nous disposons des choses dont les relations, même si nous croyons les saisir intellectuellement, finissent par se dérober à notre connaissance. Monet avait donc toujours protesté contre les théories et les interprétations scientifiques de ses œuvres.

Par suite du renoncement à rendre la réalité d'une manière illusoire, il était devenu nécessaire de renouveler l'art du point de vue concept comme du point de vue forme, ce qui justifia finalement l'art moderne du siècle suivant. Cet art devait rester ouvert aux forces mystérieuses de la fantaisie de l'observateur et il ne pouvait donc pas se fixer sur une forme exactement définie. Depuis les années 90, Monet satisfaisait à ce genre d'idées par l'ambiguïté du contenu dans la série où le tableau individuel devenait un extrait d'un contexte plus vaste, supérieur et pouvant être poursuivi. Sa manière de peindre toujours plus abstraite et plus expressive qui ne décrit plus l'objet, mais évoque son apparence, faisait une impression semblable. Elle laisse le sujet du tableau devenir ambigu et le soustrait à une dernière interprétation. Le rapport idéal avec les différents courants artistiques du tournant de siècle comme le Symbolisme et le Jugendstil devient également évident dans la thématique des paysages d'eau.

Monet dans son atelier en 1920, terminant un tableau de la série des *Arceaux fleuris*

Monet avait préparé son jardin d'eau de Giverny selon ses propres conceptions artistiques, de sorte que celui-ci était devenu une œuvre d'art en tant que jardin des formes et des couleurs. Il était à la fois transposition de la nature en art et paysage intérieur ardemment désiré. C'est ainsi que les jardins finis et artificiels purent être tant aimés comme image idéale et intacte de la nature dans l'art du tournant de siècle. Le motif du nénuphar lié à la féminité apparut dans cet art dans cet ordre d'idées. Cette fleur, qui ne pousse que dans des eaux chaudes et marécageuses, ne symbolisait pas seulement dans le poème «Le Nénuphar blanc» de Mallarmé (1885) les sources mystérieuses de la vie et l'intégralité de l'être.

Monet avait prévu de décorer une salle à manger avec des Nymphéas depuis 1897 au plus tard et en avait discuté jusqu'en 1909. Le fait que cette idée ne fut pas réalisée n'est pas uniquement dû à la mauvaise santé de Monet. Alice, qui avait longtemps dirigé la destinée de la famille, était morte en 1911 et sa disparition avait laissé un grand vide chez Monet. Sa mélancolie et son apathie en matière de peinture se refléta dans de nombreuses lettres adressées à Clemenceau. La mort de son fils Jean en février 1914 y contribua également. A partir de ce moment, Blanche, la veuve de Jean, devint pour Monet un soutien indispensable, si bien qu'il se remit à peindre. Blanche, qui avait elle-même commencé à peindre, laissa plusieurs œuvres qui se trouvent aujourd'hui au Musée Marmottan à Paris. Après la mort de Monet, elle se consacra avec dévouement à son héritage et conserva la maison et le jardin dans leur état originel;

REPRODUCTION EN HAUT:
Le Bassin aux Nymphéas sans saules: Matin, 1916–26
Huile sur toile, 200 x 200, 200 x 425, 200 x 425, 200 x 200 cm
W.IV. S.328, 4a-d
Paris, Musée de l'Orangerie

REPRODUCTION EN BAS:
Le Bassin aux Nymphéas sans saules: Les Nuages, 1916–26
Huile sur toile, chaque panneau 200 x 425 cm
W.IV. 328, 2a-c
Paris, Musée de l'Orangerie

Jean-Pierre Hoschedé et, plus tard, Michel Monet prirent sa suite. Michel étant mort en 1966 dans un accident de la circulation et ne laissant pas d'enfants, la propriété fut laissée à l'abandon. Ce n'est que dans les années 80 que le jardin put être reconstitué grâce à une initiative privée; il est aujourd'hui accessible au public en tant que Musée Claude Monet.

L'état de santé de Monet s'était sérieusement aggravé depuis 1908. Le diagnostic de sa maladie des yeux fut établi avec certitude en 1912: Monet souffrait d'une double cataracte. Il avait une peur panique de devenir aveugle, car il songeait au destin de Degas qui avait dû abandonner la peinture pour cette raison. Il craignait qu'on ne lui interdise de peindre, mais cela ne devait heureusement pas se confirmer. En 1923, son œil droit étant presque complètement aveugle, on décida de l'opérer afin de rétablir sa vue en grande partie. Mais Monet dut porter des verres spéciaux à partir de 1924 pour y voir mieux. A l'époque, il se plaignit en outre d'employer de plus en plus des couleurs sombres à cause de son mal et de ne pouvoir parfois s'orienter en matière de coloris que grâce aux inscriptions portées sur les tubes de peinture. Il détruisit par la suite de nombreux

Le Bassin aux Nymphéas, le soir, 1922–24
Huile sur toile, 200 x 300 cm
W.IV. 1964/65
Zurich, Kunsthaus Zürich

tableaux et fut extrêmement déprimé. A cause de ces évènements fatidiques, il ne reste pour ainsi dire pas de tableaux peints par Monet pendant la période 1909–1914. C'est surtout grâce au soutien moral de Blanche et de Clemenceau que Monet s'est remis à la peinture à partir de 1914, surtout aux Nymphéas.

Les formats des Nymphéas devinrent désormais beaucoup plus vastes, les paysages d'eau d'avant 1909 servant de parties pour ces grandes compositions. Il reprit dans une large mesure des types individuels de composition qu'il inséra comme partie centrale des nouveaux tableaux. Les tableaux tardifs sont donc loin de revendiquer un naturalisme de la représentation. Ce sont plutôt des synthèses de différentes réponses au paysage du jardin d'eau. Monet expliqua à François Thiébault-Sisson à ce propos: «Depuis mon soixantième anniversaire (depuis 1900 environ), j'avais toujours eu l'idée de réaliser une sorte de synthèse pour chacune des catégories de motifs auxquelles j'avais accordé mon attention à tour de rôle, synthèse au cours de laquelle je rassemblerais dans un tableau, quelquefois dans deux, mes impressions et mes sensations de jadis. J'y avais renoncé. Il m'aurait fallu voyager beaucoup et longuement, revoir

Une Allée du jardin de Monet, Giverny, 1901–02
Huile sur toile, 89 x 92 cm
W.IV. 1650
Vienne, Österreichische Galerie

successivement toutes les stations de ma vie de peintre et vérifier les sensations de jadis. Je me dis en peignant mes ébauches (de nymphéas) qu'une série d'impressions d'ensemble, fixée aux heures où ma vue avait le plus de chances d'être exacte, ne serait pas sans intérêt. J'attendis que l'idée ait pris forme, que la disposition et la composition des motifs se soient inscrites d'elles-mêmes dans mon esprit . . .» Ces Nymphéas tardifs doivent donc être compris comme synthèse de sensations, qui se nourrit aussi bien du souvenir que de l'observation exacte. La peinture devient champ de projection de sentiments subjectifs et la nature métaphore. Dans ces descriptions de paysages, Monet parvient à une simultanéité à couches multiples de niveaux temporels, de réalité intérieure et extérieure. La répétition de types individuels de composition s'assemblant toujours à nouveau, joue aussi bien un rôle que le concept sériel. Monet est en cela en contact étroit avec la littérature contemporaine. Ceci est avant tout valable pour Mallarmé et pour Proust dont le personnage du peintre Elstir – dans «A la recherche du temps perdu» – représente la peinture tardive de Monet d'une manière conforme.

Comme les nouveaux paysages de Nymphéas mesuraient jusqu'à cinq mètres de large, Monet dut faire installer un troisième atelier encore plus grand dans le jardin de Giverny, ce qui n'était pas si facile que cela pendant la Première Guerre Mondiale. Monet ne put

L'Allée de rosiers, Giverny, 1920–22
Huile sur toile, 89 x 100 cm
W.IV. 1934
Paris, Musée Marmottan

obtenir suffisamment d'huile pour ses couleurs pendant les années de guerre que grâce à l'intervention de son ami, le ministre Etienne Clementel, de même pour transporter ses toiles depuis ou jusqu'à Paris. Grâce à cette relation, la saisie de son automobile fut suspendue et il put obtenir suffisamment de matériel de construction pour son atelier.

Pendant l'été 1915, il put présenter à ses visiteurs ce nouveau bâtiment qu'il trouvait extrêmement laid et dont il ne fut jamais entièrement satisfait. Mais comme il mesurait 24 x 12 mètres, il était suffisamment grand pour recevoir un grand nombre de paysages de reflets. Comme Monet fixait les tableaux sur des chevalets portables, il pouvait toujours en modifier l'ordre à nouveau. Ceci était particulièrement important, car il avait décidé à la fin de la guerre, en 1918, sur les instances de Clemenceau et de Geffroy, de laisser à l'Etat français une grande série de Nymphéas en tant que symbole de paix.

Clemenceau qui s'était fait une bonne réputation pendant la guerre en raison de son attitude logique, se chargea de ce projet en tant que premier ministre. On évoqua la possibilité de loger la série dans une rotonde spécialement conçue à cet effet dans le jardin de l'Hôtel Biron, l'actuel Musée Rodin. Les plans de la rotonde prévoyaient l'installation de douze toiles de plus de quatre mètres de

Glycines, 1919/20
Huile sur toile, 100 x 300 cm
W.IV. 1904
Paris, Musée Marmottan

large. Elles devaient montrer quatre thèmes différents du jardin d'eau de Giverny: *saules*, *iris*, *agapanthus*, c'est-à-dire les arbres et les fleurs se trouvant au bord du bassin, ainsi que des purs *reflets de nuages*. Ceci devait contribuer à donner à l'observateur l'impression qu'il se promenait dans le jardin aux nymphéas de Monet.

Ce concept originel ne fut pas seulement abandonné pour des raisons financières; l'échec de Clemenceau aux élections à la présidence en 1920 avait aussi joué un rôle. Monet vit disparaître tous ses espoirs et essaya, malgré l'opposition de Clemenceau, de revenir sur les accords passés avec l'Etat. Pendant un moment, ses décorations faillirent être vendues au Japon où ses Nymphéas était fort appréciés. Avec 30 000 francs par tableau, les prix de Monet avaient atteint des hauteurs astronomiques. Il put vendre ses *Femmes au jardin* pour 200 000 francs à l'Etat français en 1921.

Parce qu'il s'était ravisé, Monet avait été récusé par Clemenceau. Ce dernier le secoua toujours à nouveau au cours des années suivantes et l'encouragea à continuer de travailler dès qu'il semblait vouloir abandonner sa peinture – à cause de sa maladie des yeux. L'idée

d'un legs fut donc conservée, et on s'accorda en avril 1921 pour que la décoration de Nymphéas soit installée dans les deux salles du rez-de-chaussée de l'Orangerie à Paris. Monet se vit donc confronté à une situation très différente de celle de la rotonde de l'Hôtel Biron et renonça à rendre son jardin d'eau à la manière d'un panorama. Lorsque l'acte de donation définitif entre Monet et le Ministère des Beaux-Arts fut enfin signé, un an plus tard, il fut donc question de 19 tableaux. Pour la première salle, Monet prévit quatre panneaux comportant chacun plusieurs toiles, le *Soleil couchant* qui mesurait six mètres de large, le *Matin* (repr. p. 200-202 en haut) et les *Nuages* (repr. p. 207-209 en bas) qui mesuraient douze mètres de large chacun, ainsi que les *Reflets verts* qui mesuraient huit mètres. La deuxième salle devait également abriter quatre œuvres, les *reflets des arbres* mesurant huit mètres de large, le *Matin clair aux saules* (repr. p. 200-202 en bas) mesurant plus de douze mètres, le *Matin clair* et les *Deux saules* mesurant plus de 17 mètres de large.

Ces paysages représentent une synthèse de l'ensemble de la confrontation avec les Nymphéas depuis le tournant du siècle, si

Le Pont japonais, 1918–24
Huile sur toile, 80 x 100 cm
W.IV. 1923
Paris, Musée Marmottan

bien que tous les paysages de reflets doivent être compris en rapport avec cette apothéose sur le jardin d'eau de Monet. La composition et réalisation correspondante de cette décoration dut être interrompue à plusieurs reprises par Monet en raison de sa maladie des yeux et de l'opération pratiquée en 1923. Une fois que sa vue se fut suffisamment améliorée grâce à des verres supplémentaires, il se tourna de nouveau vers le projet de l'Orangerie en 1924. Cette année-là, il eut en outre le plaisir de voir la plus grande rétrospective de ses œuvres organisée de son vivant chez Petit.

La stabilisation de son état de santé ne fut que de courte durée. Presque aveugle, il dut garder le lit à partir de la fin de l'été 1926 par suite d'une sclérose du poumon. Lorsqu'il ferma les yeux pour toujours le 5 décembre 1926 à l'âge de 86 ans, Clemenceau était à ses côtés comme au cours de leur longue amitié. Monet ne vit donc pas l'inauguration de sa décoration de Nymphéas à l'Orangerie à Paris, en mai 1927. C'est en effet à cette date que fut remise au public l'une des créations magistrales de ce génial artiste dont l'influence marque l'art de notre siècle. André Masson l'a par la suite qualifiée de «Chapelle Sixtine de l'Impressionnisme» et à conseillé à tout artiste moderne de la contempler. Dans ses Nymphéas, Monet avait définitivement rompu avec les tableaux traditionnels; et dans la franchise consciente et l'ambiguïté des tableaux, avec sa peinture abstraite et expressive, il a effectivement influencé de façon décisive la peinture moderne du XXe siècle.

Le Pont japonais, 1918–24
Huile sur toile, 100 x 200 cm
W.IV. 1913
Paris, Musée Marmottan

Pour la génération d'avant la Deuxième Guerre Mondiale, les peintres comme Kazimir Malevitch, Henri Matisse, Robert Delaunay, František Kupka ou Piet Mondrian, c'était surtout l'aspect de la série dans les travaux de Monet qui importait. Pour la génération des abstraits expressionnistes comme Jackson Pollock, Sam Francis, Mark Rothko et d'autres, cet aspect devint banal. On reconnaissait et appréciait désormais dans la peinture tardive de Monet, qui était essentiellement partie de l'expérience de la nature et avait logiquement abouti à l'abstraction, les qualités expressives et abstraites, le thème de la couleur et du geste. En ce sens, la peinture de Monet demeure capitale pour l'art jusqu'à ce jour.

Claude Monet dans l'allée des rosiers à Giverny

Monet dans son jardin à Giverny, vers 1823-1824

Monet sur le pont japonais de Giverny en juin 1921. Il est en compagnie de Lily Butler et de Georges Clemenceau qui mit tout en œuvre pour que le projet de décoration des Nymphéas à l'Orangerie soit réalisé.

Les tableaux *Reflets d'Arbres* sur le mur du fond dans la salle II du Musée de l'Orangerie. A droite et à gauche, on peut voir *Les Saules.*

Claude Monet: Repères chronologiques

Aguste Renoir
Monet peignant dans son jardin à Argenteuil, 1873
Huile sur toile, 46,7 x 59,7 cm
Hartford, Wadsworth Atheneum, legs d'Anne Parrish Titzell

Claude Monet, vers 1875

1840 Claude Oscar Monet naît le 14 novembre au n° 45, rue Laffitte, à Paris. Il est le second fils du commerçant Claude Adolphe Monet et de son épouse Louise Justine, veuve Aubrée.

1845 Pour des raisons financières, la famille va s'installer au Havre où le père de Monet s'associe avec son beau-frère Jacques Lecadre,qui tient un commerce d'épicerie et d'articles de navigation et possède une maison sur la côte, à Sainte-Adresse. Monet passe son enfance et va à l'école au Havre.

1855 Monet parvient à vendre quelques caricatures pour la somme appréciable de 10 ou même de 20 francs pièce; ce sont là ses premiers gains.

1856 Apprend à dessiner auprès de Charles-François Ochard, professeur au Havre et ancien élève du peintre J. L. David (1748–1825). Fait la connaissance du peintre E. Boudin (1824–1898) qui deviendra par la suite son ami et le convaincra de travailler en plein air avec lui et d'essayer le dessin au pastel et la peinture à l'huile.

1857 Sa mère meurt le 28 janvier. Sa tante Marie-Jeanne Lecadre le prend sous sa protection.

1858 Sa première peinture à l'huile, *Vue de Rouelles*, est montrée dans une exposition publique au Havre, avec quatre tableaux de Boudin. Ils travaillent ensemble sur la côte norande. Jacques Lecadre meurt le 30 septembre; sa veuve, la tante Sophie, qui n'a pas d'enfants, prend soin de Monet.

1859 Se rend à Paris avec l'argent gagné grâce aux caricatures pour y étudier la peinture. Au Salon, les tableaux de Constant Troyon (1810–1865) et de Charles-François Daubigny (1817–1878) l'impressionnent. Entre à l'«Académie Suisse» de C. Jacq.ues où de jeunes artistes travaillent d'après le modèle vivant. Rencontre C. Pissarro (1830–1903) et G. Courbet (1819–1877) à la «Brasserie des Martyrs» que fréquentent les artistes.

1861 Tire un mauvais numéro et effectue son service militaire dans les «Chasseurs d'Afrique» en Algérie dont l'atmosphère méridionale l'attire. Ne supporte pas le climat, tombe malade et est rapatrié en France.

1862 Passe six mois de convalescence au Havre. Y rencontre Boudin et, par hasard, le peintre hollandais Johan Barthold Jongkind (1819–1891) avec lequel il se lie bientôt d'amitié. Fréquente à Paris l'atelier de Charles Gleyre (1808–1874) avec Jean-Frédéric Bazille (1841–1870), P. A. Renoir (1841–1919) et A. Sisley (1839–1899).

1863 Voit à la galerie Martinet, boule vard des Italiens, des tableaux d'Edouard Manet (1832–1883) qui l'influencent durablement. Ses couleurs, qui étaient généralement sombres jusque-là, s'éclairent considérablement. A Pâques, il se consacre avec ses camarades d'études à la peinture de plein air dans la forêt de Fontainebleau, près de Chailly-en-Brière. Rentre à Paris seulement au mois d'août.

1864 Peint pendant les vacances de Pâques à Chailly-en-Bière, en mai avec Bazille en Normande, près de Honfleur, et loge à la ferme Saint-Siméon, très appréciée des artistes à l'époque de Boudin et de Jongkind. Va voir sa famille à Sainte-Adresse, qui lui coupe les vivres après de violentes discussions. L'armateur havrais Gaudibert, qui soutenait autrefois Boudin, sera son premier protecteur.

1865 Dans l'atelier de Bazille, il reçoit la visite de Paul Cézanne (1839–1906), de Courbet, de Manet et de Pissarro. Deux marines de Monet sont exposées pour la première fois au Salon. Il commence à Chailly une grande peinture de plein air, *Le Déjeuner sur l'herbe,* pour laquelle Camille Doncieux et Bazille lui servent de modèles. La toile est vivement critiquée par Courbet et sert par ailleurs à régler des dettes. Travaille à Trouville, en Normandie, avec Boudin, Courbet et Daubigny.

1866 Son portrait*Camille* ou*La Rrobe verte* reçoit d'excellentes critiques au Salon. E. Zola (1840–1902) écrit un article élogieux dans «L'Evènement» et se lie d'amitié avec Monet. Le modèle est C. Doncieux, sa compagne. A l'automne, il se rend à Sainte-Adresse où il peint *La Terrasse à Sainte-Adresse,* puis à Honfleur, où il rencontre Boudin et Courbet et commence une marine de grand format.

1867 Bazille le recueille dans son atelier où Renoir avait également trouvé refuge. Le tableau de Monet *Femmes au jardin* est refusé par le Salon. Latouche l'expose dans la vitrine de son magasin, mais Manet le juge défavorablement. Bazille achète le tableau et le paie par mensualités. Jean, le fils de Claude et de Camille, naît le 8 août à Paris. Tous deux se trouvent à nouveau dans les embarras financiers.

1868 Prend une chambre à Bennecourt, sur les bords de la Seine, où il tente de se noyer parce qu'il manque d'argent. Un seul de ses deux grands tableaux représentant le port du Havre est accepté au Salon, mais commenté de manière très positive par Zola. Se rend avec Camille et Jean à Fécamp, en Normandie, pendant l'été pour pouvoir travailler tranquillement. Son protecteur Gaudibert rachète les tableaux saisis par ses créanciers et commande un portrait de sa femme. Encouragé par l'amitié de Gaudibert, il peint *Le Déjeuner,* mais abandonne ensuite la peinture figurative.

1869 Les tableaux refusés par le Salon, cette fois des vues de Paris et de Sainte-Adresse, sont de nouveau exposés par Latouche dans sa vitrine. Pendant l'été, Monet se rend à Saint-Michel, près de Bougival, sur les bords de la Seine, où il peint avec Renoir l'établissement de bains et de sports nautiques La Grenouillère, aux couleurs gaies. C'est à cette époque que naît l'impressionnisme qui décompose le sujet en points colorés.

Portrait de Camille Monet, 1866/67
Sanguine
Etas-Unis, collection privée

1870 Nouveau refus de ses toiles au Salon. Le 26 juin, il épouse Camille Léonie Doncieux dont il a un fils, Jean. A Trouville, en Normandie, où il peint en compagnie de Boudin, il apprend la mort de Sophie Lecadre, sa tante, le 7 juillet et l'éclatement de la guerre entre la France et l'Allemagne, le 19 juillet. Son ami Bazille tombe au champ d'honneur en novembre. Monet se réfugie à Londres. Il découvre les tableaux de William Turner (1775–1851) et de John Constable (1776–1837) dans les musées. Daubigny l'introduit auprès du marchand d'art parisien Paul Durand-Ruel qui expose à Londres les travaux d'artistes français et les soutient, comme il le fera par la suite avec Monet dont il montre une vue du port de Trouville.

1871 Apprend à Londres la mort de son père, le 17 janvier, et l'armistice entre la France et l'Allemagne, le 28 janvier. Durand-Ruel envoie deux tableaux de Monet à l'exposition internationale au South Kensington Museum. Monet effectue un voyage en Hollande. Achète à Amsterdam des estampes japonaises. Loue à l'automne une maison à Argenteuil, sur les bords de la Seine, avec un joli jardin d'agrément, puisque l'héritage paternel et la dot de Camille lui permettent de mener une vie plus agréable.

1872 Participe à une exposition publique à Rouen. Durand-Ruel achète plusieurs tableaux et en expose quelques uns à Londres. Monet acquiert un bateau et le transforme en atelier flottant. Peint au Havre *Impression, soleil levant*; de nouveau en Hollande pendant l'été, avec Renoir à Argenteuil à l'automne.

1873 Fait la connaissance de Gustave Caillebotte (1848–1894), peintre amateur, qui l'encourage en même temps que d'autres artistes. Projette avec ses amis une union d'artistes indépendants souhaitant exposer leurs œuvres en dehors du Salon. A la fin de l'année, la «Société Anonyme Coopérative d'Artistes-Peintres, Sculpteurs, Graveurs» voit le jour. Monet devient le chef de file de ce groupe de peintres et reprend le rôle détenu par Manet jusqu'en 1870.

1874 Première exposition du groupe dans l'ancien atelier du photographe Félix Nadar, boulevard des Capucines, à Paris. Stimulé par le tableau de Monet *Impression, soleil levant,* le critique Louis Leroy l'intitule ironiquement «Exposition des Impressionnistes». Comme Durand-Ruel a des difficultés financières et ne prend plus de tableaux, Monet est de nouveau dans la détresse. Pendant l'été, il peint avec Manet et Renoir à Argenteuil. A la fin de l'année, la «Société Anonyme» fait faillite et doit être dissoute.

1875 A cause de ses maigres ressources, il ne peut se payer qu'un modeste logis à Argenteuil, il y peint des paysages de neige.

1876 Se lie d'amitié avec Ernest Hoschedé, magnat des grands magasins et spéculateur en matière d'art; est invité avec Manet dans son château près de Montgeron, tout près de Paris. Camille, la femme de Monet, est sérieusement malade, peut-être par suite d'une tentative d'avortement. A la fin de l'année, il rentre à Paris et s'attaque à la série des vues de la *gare Saint-Lazare.*

1877 Caillebotte loue pour Monet un petit atelier proche de la gare Saint-Lazare où il continue sa série de tableaux. Lors de la troisième exposition impressionniste en avril, il y a parmi les 30 toiles de Monet sept tableaux que Zola loue de nouveau avec exaltation. Les impressionnistes publient leur propre journal «L'Impressionniste». En août, Hoschedé déclare sa faillite. Monet et sa famille ont de nouveau de grandes difficultés financières.

1878 Manet et Caillebotte aident la famille à quitter Argenteuil pour aller

Alice Hoschedé

Claude Monet à Giverny vers 1889/90
Photographie du peintre américan Theodore Robinson

s'établir à Paris. C'est là que naît Michel, le second fils, le 17 mars. Lors de la vente de la collection d'art de Hoschedé, les œuvres de Monet et de ses amis sont vendues aux enchères à bas prix. En août, la famille s'installe dans une maison à Vétheuil, au bord de la Seine. Alice, la femme de Hoschedé, et ses six enfants la suivent. Monet cherche à Paris des acheteurs pour ses tableaux, mais il a du mal à couvrir les dépenses courantes. L'état de santé de Camille s'aggrave.

1879 En avril et mai, la quatrième exposition collective des impressionnistes,encouragée par Caillebotte, montre 29 tableaux de Monet dont de nombreux paysages de la Seine aux environs de Vétheuil. Sa femme Camille meurt le 5 septembre après de longues souffrances, à l'âge de 32 ans. Alice Hoschedé s'occupe des deux fils de Monet, en plus de ses six enfants. Pendant l'hiver suivant, qui est très dur, Monet peint plusieurs tableaux du paysage enneigé et de la débâcle sur la Seine.

1880 Monet, Renoir et Sisley ont des différends avec Edgar Degas (1834–1917) et ne participent pas à la cinquième exposition impressionniste. Comme un seul tableau de Monet est accepté par le Salon, Georges Charpentier, protecteur de Renoir et propriétaire de la revue artistique et sociale «La Vie Moderne», organise une exposition particulière avec 18 œuvres de Monet dans son local commercial; celle-ci a beaucoup de succès et contribue à améliorer la situation financière de Monet.

1881 Nombreux séjours de travail sur la côte normande (Dieppe, Fécamp, Pourville, Varengeville, Etretat, Trouville). Durand-Ruel, dont les affaires marchent mieux, avance les frais. A la fin de l'année, Monet quitte Vétheuil pour aller s'installer à Poissy, sur la Seine, où A. Hoschedé le suit avec les enfants contre la volonté de son mari.

1882 Travaille sur la côte normande bien que Durand-Ruel doive réduire ses subventions. Participe avec 35 tableaux à la septième exposition impressionniste. Les deux familles s'installent à Pourville de juin à octobre, pour retourner ensuite à Poissy.

1883 Peint au début de l'année au Havre et à Etretat. En mars, rétrospective chez Durand-Ruel à Paris avec 56 tableaux; intérêt des critiques permettant d'espérer, mais peu de ventes. Loue une maison à Giverny, à l'embouchure de l'Epte dans la Seine. Durand-Ruel lui commande des décorations florales pour son appartement parisien.

1884 Le «Salon des Indépendants» est fondé à Paris, la «Société des Vingt» (Les XX) à Bruxelles. Peint de janvier à avril sur la Riviera (Bordighera, Dolce Acqua, Vintimille, Menton). Rapporte plus de 50 toiles dont la moitié sont des études et des esquisses. En novembre, Durand-Ruel lui fait faire la connaissance de l'écrivain Octave Mirbeau (1848–1917) qui s'est vivement engagé pour les travaux de Monet dans ses articles parus dans «La France».

1886 Zola publie son roman «L'Œuvre» qui surprend les impressionnistes par ses allusions à leurs vies respectives. Monet proteste. Avec Renoir, il rencontre par l'intermédiaire du peintre Berthe Morisot (1841–1895) l'écrivain Stéphane Mallarmé (1842–1898). La vente de ses œuvres augmente, les critiques sont meilleures. En février, les «XX» montrent à Bruxelles dix tableaux de Monet. En avril et mai, il séjourne pour la troisième fois en Hollande, visite entre autres Haarlem et La Haye et peint des champs de tulipes en fleur. Monet ne participe pas à la huitième et dernière exposition de groupe des impressionnistes. Le pointilliste Georges Pierre Seurat (1859–1891) expose *La Grande Jatte*. Pendant l'été, Monet peint de nouveau des tableaux figuratifs en plein air. Il se rend à Etretat à l'automne et peint à Belle-Ile-en-Mer, en Bretagne. Il y rencontre Gustave Geffroy qui l'a aidé avec ses critiques d'art positives dans la revue «La Justice» du politique Georges Clemenceau (1841–1929). Geffroy rédigera par la suite la biographie de Monet.

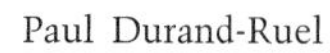

Paul Durand-Ruel

1887 Durand-Ruel ouvre une galerie à New York dans la maison du collectionneur H. O. Havemeyer. En mai, grand succès avec 15 œuvres de Monet, dont dix vues de Belle-Ile, à la sixième Exposition Internationale chez Petit à Paris. En mai et juin, deuxième exposition impressionniste de Durand-Ruel à la National Academy of Design à New York, avec 12 tableaux de Monet.

1888 Peint pendant les premiers mois à Antibes et à Juan-les-Pins, sur la Côte d'Azur. Dix de ces tableaux remportent un grand succès lors d'une exposition individuelle organisée dans la galerie Boussod et Valadon à Paris par le marchand d'art Theo van Gogh (1857–1891), frère de Vincent van Gogh (1853–1890). Se rend de nouveau à Londres en juillet. A son retour, refuse la Légion d'honneur. Peint pendant l'été à Giverny et commence la série des Meules (jusqu'en 1893).

1889 Peint à Fresselines, au bord de la Creuse, dans le département du même nom, dans le centre de la France. En mai, trois tableaux de Monet sont montrés à l'Exposition Universelle à Paris. En juin, une rétrospective chronologique comprenant 145 œuvres de Monet réalisées entre 1864 et 1889 est organisée chez Georges Petit à Paris, en association avec des œuvres d'A. Rodin, qui est né la même année (1840–1917); elle obtient un succès retentissant. Mirbeau écrit la préface du catalogue et stigmatise la conduite aveugle de la critique officielle et du jury du Salon à l'égard de l'art de Monet. Celui-ci fait une collecte privée pour acheter *l'Olympia* de Manet à sa veuve et offrir le tableau à l'Etat, pour le Louvre. En octobre, T. Van Gogh obtient un prix record de plus de 10 000 francs pour un tableau de Monet.

1890 Continue à travailler à la série des Meules, en partie dans son atelier. S'attaque à de nouvelles séries avec des champs de coquelicots et les peupliers au bord de l'Epte (jusqu'en 1891). Acquiert la maison et le terrain de Giverny qu'il habite depuis 1883 et se consacre passionnément au jardin.

1891 Ernest Hoschedé meurt le 18 mars. Il est ainsi possible d'éclaircir les relations jusque-là équivoques entre Monet et Alice Hoschedé. En mai, l'exposition de 22 œuvres, dont 15 de la série des Meules, chez Durand-Ruel à Paris, remporte un énorme succès.

1892 Commence une séries de vues de la Cathédrale de Rouen (jusqu'en 1894) qu'il peint depuis la fenêtre d'une maison voisine de l'église. Epouse le 16 juillet Alice Hoschedé, née Raingo. Quelques jours plus tard, sa belle-fille Suzanne épouse le peintre américain Theodore Butler, l'un de ses élèves.

1893 Peint pendant l'hiver, encore une fois rigoureux, sur la Seine près de Bennecourt et de Port-Villez. Achète en février à Giverny un plus grand terrain près de sa maison, avec un cours d'eau et un étang qu'il aménage peu à peu en jardin d'eau avec bassin aux nymphéas. Continue de février à avril la série des Cathédrales de Rouen dont il n'est toujours pas satisfait. Il continue à y travailler dans son atelier à Giverny pendant toute l'année. Lors de l'Exposition Universelle à Chicago sont montrés des tableaux de maîtres étrangers provenant de collections américaines, dont quelques uns de Monet et d'autres impressionnistes. La «Société des XX» de Bruxelles est dissoute.

1894 Durand-Ruel refuse de payer les 15 000 Francs que Monet réclame pour chacun des tableaux de la série des Cathédrales; le Comte I. de Camondo, qui est collectionneur, en achète toutefois quatre versions. En novembre, le peintre américain M. Cassatt (1845–1926) et Cézanne se rendent à Giverny pour voir Monet qui les présente à Rodin, Clemenceau et Geffroy.

1895 De janvier à avril, rend visite à son beau-fils Jacques Hoschedé à Sandvika, près d'Oslo, sur les pentes du Mont Kolsaas, et y peint des paysages norvégiens. Erige au printemps un pont dans le style japonais dans son jardin d'eau à Giverny et le peint pour la première fois.

1896 Entreprend en février-mars une sorte de pélerinage en Normandie où il avait travaillé quinze ans auparavant, et peint de nouveau à Dieppe, Pourville et Varengeville. Commence la série *Matinée sur la Saine* (jusqu'en 1897) près de Giverny.

1897 Fait construire sur son terrain une annexe contenant le deuxième atelier où il veut travailler pendant l'hiver. De janvier à mars, peint de nouveau à Pourville la falaise et la côte normande. Le 9 juin, son fils aîné Jean épouse sa belle-fille Blanche Hoschedé, tous deux vivent à Rouen. Pendant l'été, la deuxième Biennale de Venise montre 20 tableaux de Monet. Après une longue résistance des autorités, les tableaux du legs Caillebotte sont recueillis au Musée du Luxembourg; c'est la première fois que l'impressionnisme reçoit une confirmation officielle.

1898 Avec son article «J'accuse» publié dans le journal de Clemenceau «L'Aurore», Zola intervient dans le débat public relatif au procès intenté à l'officier Alfred Dreyfus (1859–1935) et est poursuivi pour cela. Monet soutient la courageuse lutte de Zola en faveur de Dreyfus et signe le Manifeste des intellectuels dans «L'Aurore».

Claude Monet, vers 1900

1899 La mort de Sisley, le 29 janvier, et surtout la mort soudaine de Suzanne Butler, la fille d'Alice, le ler février, plongent le couple Monet dans un deuil profond. Monet commence pendant l'été dans son jardin d'eau de Giverny les séries des Nymphéas *(Le Bassin aux Nymphéas)* et du pont japonais auxquelles il se consacrera jusqu'à sa mort, c'est à dire pendant 27 ans. A l'automne, il s'attaque de nouveau à une nouvelle série de vues de la Tamise, à Londres (jusqu'en 1905), qu'il peint depuis sa chambre au Savoy.

1900 Continue la série de la Tamise à Londres et y reçoit la visite de Clemenceau et de Geffroy. Peint ensuite à Vé-

Giverny, septembre 1900
De gauche à droite: Germaine Hoschedé, Lily Butler, Madame Joseph Durand-Ruel, Georges Durand-Ruel et Claude Monet

theuil au bord de la Seine. Pendant l'été, perd momentanément la vue d'un œil par suite d'un accident et doit faire une pause d'un mois. Theodore Butler, le veuf de Suzanne, épouse le 31 octobre sa sœur Marthe, qui s'est occupée des enfants de Suzanne depuis la maladie de cette dernière en 1894.

1901 Peint pour la dernière fois à Londres des vues de la série de la Tamise, mais poursuit son travail dans son atelier à Giverny jusqu'en 1905. Acquiert un terrain pour y planter de nouvelles plantes exotiques et agrandit son jardin d'eau où il est autorisé à faire passer un bras de l'Epte. Fait mettre sur le pont japonais un treillage en voûte pour des glycines.

1902 En février, la galerie parisienne Bernheim-Jeune montre des travaux récents de Pissarro et de Monet, parmi lesquels six tableaux de la série de la Seine à Vétheuil. Monet fait un bref séjour en Bretagne en février.

1903 Continue de mémoire son travail à la série de la Tamise dans son atelier, ce qu'il rejetait jusque-là. Premier tableau daté de la deuxième série des Nymphéas (jusqu'en 1908). Le 12 novembre, son ami de jeunesse Pissarro meurt à Paris.

1904 Achète une automobile et se rend avec Alice à Madrid en octobre pendant trois semaines pour étudier au Prado les œuvres des maîtres espagnols, en particulier celles de Velázquez.

1905 Continue à travailler aux Nymphéas et à la série de la Tamise. En décembre, les premières photographies du jardin d'eau de Monet à Giverny apparaissent avec un article de Vauxcelles dans «L'Art et les Artistes».

1906 En février, Durand-Ruel expose à Paris 17 tableaux de Monet provenant de la collection Faure. Monet lui écrit que son travail à la série des Nymphéas ne progresse que lentement et ne le satisfait pas. Il retouche fréquemment les toiles, en détruit quelques unes par déception et repousse l'exposition prévue de cette série. Le 22 octobre, son ami Cézanne meurt à Aix-en-Provence. En octobre, son ami Clemenceau est élu premier ministre (jusqu'en juillet 1909 et de novembre 1917 à janvier 1920).

1907 Travaille presque exclusivement à la série des Nymphéas. L'Etat achète une vue de la Cathédrale de Rouen peinte par Monet pour le Palais du Luxembourg.

1908 Au printemps, sa vue baisse, premiers symptômes de cataracte et maladie passagère. De septembre à décembre, long voyage avec Alice pour peindre à Venise. La série de tableaux de Venise est réalisée entre 1908 et 1912, en partie de mémoire. Ce n'est qu'en décembre qu'il reprend les Nymphéas dans l'atelier à Giverny.

1909 Informe Durand-Ruel en janvier que sa femme Alice souffre d'une maladie apparemment chronique. Ce dernier expose dans sa galerie parisienne 48 tableaux de la deuxième série de Nymphéas créés entre 1903 et 1908. A l'automne, Monet retourne à Venise.

1911 La vue de Monet continue à baisser. Il surveille la fin des travaux d'agrandissement du bassin aux Nymphéas. Sa femme Alice meurt le 19 mai. Une longue époque de deuil et d'isolement commence pour Monet. A l'automne, il se remet à travailler aux tableaux de Venise (de mémoire) et aux tableaux de son jardin d'eau et d'agrément.

1912 Termine de mémoire les tableaux de la série vénitienne. L'exposition de 29 de ces toiles chez Bernheim-Jeune à Paris en mai et juin remporte un immense succès. Mirbeau écrit la préface du catalogue. Comme sa vue baisse toujours, un ophtalmologiste parisien confirme le diagnostic de double cataracte.

1914 Clemenceau et d'autres personnes suggèrent à Monet de créer un ensemble de grands panneaux décoratifs avec des Nymphéas et de les offrir à l'Etat. Ce travail l'occupe jusqu'à sa mort. Son fils aîné Jean meurt le 10 février après une longue maladie. Blanche, la veuve de ce dernier, sa belle-fille, prend la direction de son intérieur et devient sa compagne. Le 3 août, la France entre dans la Première Guerre Mondiale. Michel, le plus jeune fils de Monet, et les maris de ses belles-filles sont appelés sous les drapeaux.

1915 Fait construire un troisième atelier de 23 mètres de long, 12 mètres de large et 15 mètres de haut, pour pouvoir peindre les panneaux de grand format de plus de 4 mètres de large.

1918 L'armistice est signé le 11 novembre. A cette occasion, Monet offre à l'Etat huit tableaux de Nymphéas. Le 18 novembre, Clemenceau, qui est de nouveau premier ministre, et Geffroy lui rendent visite à Giverny pour choisir ces tableaux.

1919 Continue à travailler aux motifs de son jardin d'eau bien que sa vue soit de plus en plus mauvaise. Il a toutefois peur de se faire opérer de la cataracte parce qu'il pourrait devenir aveugle. Le 17 décembre, Renoir, le dernier ami de l'atelier Gleyre à Paris, meurt.

1920 Les marchands d'art G. Bernheim et R. Gimpel rendent visite à

Promenade à Giverny
De gauche à droite: Mme Kuroki, née Matsukata, Monet, Lily Butler, Blanche Monet et G. Clemenceau

Monet à Giverny, mais trouvent trop élevé le prix qu'il réclame pour un tableau. Le 15 octobre, la «Chronique des Arts» annonce officiellement qu'il veut donner à l'Etat douze grands panneaux représentant son jardin d'eau. Un pavillon doit être érigé à cet effet dans le jardin de l'Hôtel Biron où se trouve le musée Rodin. Monet refuse d'entrer dans le célèbre «Institut de France», le plus haut organisme officiel français pour les sciences et les arts.

1921 Malgré sa maladie des yeux, Monet continue à peindre dans son jardin de Giverny. Est de nouveau déprimé et veut annuler la donation à l'Etat. Cela irrite Clemenceau qui a encouragé ce projet dès le début. Passe une semaine en Bretagne en décembre.

1922 En avril, Monet et un représentant de l'Etat signent un contrat notarié à Vernon, sur la Seine, près de Giverny, à propos de la donation des peintures murales de Nymphéas. Elles doivent être placées dans deux salles spécialement aménagées à cet effet dans l'Orangerie des Tuileries, rattachée au Louvre.

1923 Retrouve partiellement la vue grâce à deux opérations de la cataracte pratiquées en janvier et juillet, et recommence à peindre en novembre.

1925 Peint dans l'isolement presque complet des peintures murales de Nymphéas aussi bien en plein air qu'en atelier. Est de nouveau souvent déprimé et découragé parce que certains de ses travaux ne répondent pas à ses grandes exigences, si bien qu'il détruit ou brûle de nouveau plusieurs toiles.

1926 En juin, le marchand d'art René Gimpel achète deux tableaux avec des femmes en barque pour 200 000 Francs chacun. Pendant l'été, Monet peut à peine voir et est si faible qu'il doit garder le lit en novembre et meurt le 6 décembre, à l'âge de 86 ans dans sa maison de Giverny; Clemenceau vient le voir sur son lit de mort. Il est enterré le 8 décembre, sans pompe et sans discours comme il l'avait souhaité.

1927 Le 17 mai, les panneaux sur le thème des Nymphéas sont officiellement inaugurés au musée de l'Orangerie des Tuileries. Ils sont arrangés en cercle, de sorte que l'observateur a l'impression de se trouver sur une île, au milieu du bassin aux Nymphéas.

Claude Monet, vers 1920

Claude Monet dans son atelier "aux Nymphéas", vers 1923

Registre alphabetique des tableaux

Les nombres mentionnés dans les légendes des tableaux (W.I.-IV.) sont issus du catalogue des œuvres de Claude Monet; *Daniel Wildenstein:* Monet, Biographie et catalogue raisonné, I (1840-1881), II (1882-1887), III (1888-1898), IV (1899-1926). Lausanne et Paris, 1974, 1979, 1979, 1985.

Index des illustrations

Nous remercions les musées et institutions mentonnés dans les légendes de nous avoir autorisés à reproduire les illustrations. Nous remercions par ailleurs les archives et institutions suivantes:
Aquavella Galleries, New York: 163 en bas, 166, 169
Artothek, Peissenberg: 40, 55, 64, 82
The Bridgeman Art Library: 30, 47, 50, 53, 101
Document Archives Durand-Ruel: 52 à gauche, 96, 120, 125, 142, 189, 223 en bas
Document Archives Durand-Ruel, tous droits réservés: 218 en bas, 222 en bas, 222 en haut à droite, 223 en haut, 225 en haut et en bas
Archives Held, Ecublens: 66
Colorphoto Hans Hinz: 85 en haut
© Réunion des Musées Nationaux, Paris: 2, 11, 12, 13, 14, 17, 18, 20 à gauche, 21 en haut, 23, 24 à gauche, 26, 27, 29, 39, 41, 45, 48, 55 en haut, 59, 61, 62 en haut, 62 en bas, 63 en bas, 67, 68/69, 70/71, 76, 81 en bas, 83, 87, 89, 91, 94, 107, 108, 109, 115, 116, 129, 130 en haut, 145, 148, 149, 155 en bas, 160, 172 au centre et à droite, 173, 175, 177, 181 en bas, 182, 191, 193, 199, 200-202, 207-209 en bas, 212 en haut, 213
H. Roger-Viollet, Paris: 219 en haut
Archives Walther, Alling: 6, 72, 79, 183 en haut, 220, 222 en haut à gauche, 224
Archives d'éditeur: 52 en haut à droite, 52 en bas, 123, 144, 161 en bas, 221
Photographie © 1990, The Art Institute of Chicago, tous droits réservés: 37 en bas, 42, 73, 95, 127, 137, 141, 143, 161, 162 en bas
Photo Luiz Hossaka: 155 en haut
Photo A. Morin: 197
Photos Ebbe Carlsson: 106, 146
Photo Michael Bodycomb: 19